LARGE PRINT

SEARCH & FIND

2nd SERIES

#15

Published by Playmore Inc., Publishers
230 Fifth Avenue, New York, N.Y. 10001
and Waldman Publishing Corp.,
570 Seventh Avenue, New York, N.Y. 10018

Printed in Canada

How to Solve a Search & Find Puzzle

Study the diagram of letters to find the words listed.
The words will always be in a straight line.
They may read up or down, left to right,
right to left, or even diagonally.
Draw a circle around each word as you find it,
and cross it off the list.
Letters may be used in more than one word,
but when the puzzle is finished,
there will be unused letters in the diagram.

PUZZLE #1

SPORTSMEN

ASHE
BERRA
BORG
CHAMBERLAIN
COUSY
DI MAGGIO
DUKE
FAVRE

FOYT
GARY
GEHRRING
GOODEN
HOWE
KEITH
KILLY
LOU

MANTLE
MAYS
MOSES
MUSIAL
NABOR
NAMETH
ROBINSON
ROSE

RUTH
RYAN
SAYERS
SEAVER
SIMMS
SPITZ
UNITAS
WEST

```
G Y H E J H G S L B I H S Z I
G E G O O D E N K N K T T G T
R V H I D S M R O V S I M M S
O U V R O N N S J N P E L T E
B V T M R N N R Y S C K A L W
C R S H D I M A G G I O T A Y
R O S E B A N I D N S N Y E N
S B U O N L J G O S A Y E R S
E A R S I R B C T M T M S G M
C N B N Y E A E R M I M E E X
J H O W E B T E R N N Z R T N
H Z H K M M V T A R U V S G H
A M U S I A L Y M S A D Y D R
C D A B E H R O I F H G A R Y
W L L S W C B F U R I E M C O
```

PUZZLE #2

POTPOURRI

AMICE
BLOTTER
BOXER
BUCKS
BUGGED
BULLET
CANAPE
CLARK

COWARD
CUBE
DOGGED
DOGMA
DOVER
EWER
HOGAN
KAYAK

KEY
NAPE
NEWTON
PAINTING
PENCIL
PLANT
PRINTER
RADIO

SCAT
SKID
SOAP
SPIGOT
THEN
TISSUE
WHEEL
WHEN

```
B E K W N D T L J A A N B A C
D L T H E N O C G L L G A R L
I L O B H V C G I N R N Y P E
K M U T W Y X C G Y T I S S E
S C A T T S N F N E W T O N H
P R I N T E R B L P D N I F W
S J T P P E R L U D L I J C X
I P O R V I U R X G K A Y A K
T A I O W B E C G X G P N Y F
T C D G C X T I S S U E B T K
C I A C O W A R D H P Z D R G
O L R B N T A N P A O Z U E D
N F A M I C E A N R X G C W Y
V W S R D X O A D O G M A E O
T B U C K S C R X V O O K N C
```

PUZZLE #3

READING READY

BIBLE BLURB BOOK CAST COMIC DIGEST FAX FILE

GRAPH LEASE LETTER MAGAZINE MAIL MAP MEMO METER

NOVEL ORDER PAGE PALM PAPER PLAY PLAYBILL POEM

PRINT PROSE REPORT SHEET SKIT STRIP TEST THEME

```
E T Z H H Y R O O T B I B W Y
E A C G K O R D S M H D V K L
M A G A Z I N E J L E T T E R
M Y X B T P G I P L E T R T T
P A L M F I C I B O S M E C I
F P P Z D I F I L E R Z D R K
G M R U M I B P T L N T Y I S
L J J O R D E R R L D O T T K
P E C K S P S T R I P M V E R
G R A P H E M T O B N S H E J
B I U S P Y E Z O Y H T P H L
R F A K E O M M R A P A W S T
U M O P A G E A K L P L C S S
L O G D A M H M U P N M A I L
B H H B F O T S D L Y C H Y U
```

PUZZLE #4

OCTOBER STARS

ABBOTT	CHASE	JAMES	LITHGOW
ANDREWS	CLIFT	JEAN	LOGAN
ANDY	DAVID	JESSE	MARX
ART	GATES	KEATON	MOORE
BERRY	HALL	KOOP	PENNY
BOSLEY	HAYES	LAUREN	TUTU
BROWN	HELMS	LAVIN	WAGNER
CARTER	HILLARY	LINDA	WILDE

```
J  C  L  I  F  T  T  W  N  H  V  X  R  O  U
N  E  K  Z  V  R  U  E  I  W  O  E  V  B  S
M  M  A  R  X  A  R  T  Z  L  T  S  K  M  P
U  E  O  N  Y  U  J  I  U  R  D  S  L  A  T
H  I  L  L  A  R  Y  W  A  G  N  E  R  O  N
B  X  P  L  M  N  W  C  Y  B  H  J  T  A  N
Z  T  L  K  N  S  D  D  P  C  B  W  G  A  K
B  O  S  L  E  Y  N  R  D  B  R  O  W  N  S
T  C  O  T  H  A  L  L  E  C  L  G  T  Y  E
S  P  A  U  B  Z  T  W  G  W  H  M  T  Y
P  G  J  A  M  E  S  O  H  N  S  T  D  P  A
O  E  B  J  R  S  R  V  N  I  V  I  M  D  H
O  L  N  O  X  A  E  R  U  V  V  L  N  S  O
K  C  O  N  C  H  S  I  Y  A  H  I  Y  J  R
Y  M  W  V  Y  C  C  Y  D  L  L  W  H  D  F
```

PUZZLE #5

ARMY LIFE

ALPHA   ELITE   LACE   STEEL
ARMY   FIELD   MESS   STRIPES
BERLIN   FOOT   PLATOON   TANK
BROGUE   FORCE   RANGER   TIE
BUSKIN   GSG   RANK   TONGUE
CAPTAIN   HEEL   RATIONS   TROOP
CHUKKA   JACK   RUBBER   WELT
COMPNAY   JUNGLE   SOLDIER   WWII

```
C T H F I E L D F E N M E S S
G O V X U I E G T I Z C P P U
S O M G H E J C A K R T D S R
G F O P C P M T S O L D I E R
I R T A N K P T F L Z H G P R
B E L G R A T I O N S N F I X
L Z T J C K Y I J K A T M R U
E Y W M U T V W E R E F S T I
B U S K I N O W S T E E L S N
A L P H A O G N I E R I H I Z
K R J A T O X L G J Z O L V K
K E M X I T E P E U E R O C B
U M W Y L A R U B B E R A P Z
H K H E E L V M V B U J U N L
C K W S P P Z G W N Y X R T K
```

PUZZLE #6

CITIZENSHIP

ACT
ACTIVE
BILL
CARE
CHARITY
CLEAN
DEBATE
DONATE

DUTY
EDUCATE
ELECT
ENROLL
FINE
HEAR
JUDGE
JURY

LAW
LIBEL
LISTEN
MAYOR
OPT
RECYCLE
RIGHT
SERVE

STATE
TAXES
TOWN
TRUST
VOLUNTEER
VOTE
WARD
WILL

```
U L W A R D E O H J I L Z V N
H E A R Z T U L A M U W Z V F
M N J W A V L T I Z T R U S T
H R E C Y C L E Y B L N Y N S
S O U E H N W E K L E L E C T
K D R N O A N I O T T L C J X
E A A I R R R R S T A N T S M
C W N F D E N I C P N R H V L
A C T I V E L A T O O B G L F
E J L E I T B J F Y D V I I J
O Y M T N N E A U B S W R L E
J L A A G U S N T D T U M V L
O F E T Y L W U D E G F R E A
R L P S V O T E T A X E S H L
C K G E T V R A V J S I D G A
```

PUZZLE #7

BELOW THE MASON-DIXON

ALFORD   CLAY   IONA   OCALA
ALMA   COAST   LARGO   OCEAN
ALTHA   COCOA   LYONS   PERRY
ALVA   DANIA   MACON   ROAD
AMERICUS   DAYTONA   MAYO   ROME
ARCO   GRANT   MOBILE   ROSWELL
CAIRO   GRAY   NAPLES   SOLANA
CAPE   INGLIS   NASA   ST. PETE

```
R O R I P E R R Y D M G X T L
M O P X A M L C Z C A I R O C
M E S M E O E Y P I N N K F F
M P L W T R V O Y D O U I L B
W A A M E R I C U S T N A A D
I C Y V P L O R R N Y N A S A
U N M O T C L A Y R A X B V K
R R G E S I G T D L D P A B A
N K A L F O R D O R P L L R M
Y L D I I O K S G R A N T E Y
Y L Y B N S C N G C T L E J S
A U C O C O A E O S D U T H N
R L C M N Y E L A R G O C H O
G A V G S S J O P N B U F N A
M R Y A I V C A S A U G C B B
```

PUZZLE #8

FRIGHT TIME

CAMP
CAPTURE
CRY
CRYPT
DARK
DEVIL
DREAD
EERIE

EVIL
FEAR
FIRE
FOG
FRIGHT
GHOUL
HAUNT
HOOT

KING
NIGHT
QUAKE
SEANCE
SHAKE
SHEET
SHREIK
SHROUD

SOUL
SPOOK
STORM
VAMPIRE
VAPOR
WHITE
WITCH
ZOMBIE

```
L Z K T L U L S H F E A R N P
I H O U L D U C Y R E G W E N
V P O M N T O R I C R Y K I R
E S P O B I H F N S T A I R J
R U S K T I G A P S H R O U D
V A M P I R E H D S G R I G I
K I N G C S R T T W I F E T U
P X O S B O U E M C R V N I U
H F H P P P T N E M F U T Y K
D R E A D G P W C R Y P T J H
Q A V W U I A K I O I Z R O T
K U V I M N C R C T W E C E V
M X A D M O T A N S C H E R A
D O O K W Y A D M G W H I T E
H I I D E V I L T P S N U Z G
```

PUZZLE #9

SPECIAL DAYS

ANNIVERSARY
ARBOR
ASH
BIRTHDAY
BOXING
BUSH
CANDY
CHRISTENING

DAY
ELECTION
ENJOY
FAMILY
FAST
FEAST
GIFT
HEARTS

KING
LOVE
MAIL
MEET
NOEL
PALM
SEND
SHOWER

SIXTEEN
TOAST
TRIP
VALENTINE
VETS
VISIT
WRAP
XMAS

```
R F S A L J G I F T A B U H F
V P A L M N N B V E T S Y T L
E A U S I P I G O W R A P U Y
M G L K T R N L W X D M S O D
M A D E G M E E T H I X J H L
T R I P N O T D T C A N D Y Y
H S Y L N T S R L K E W G W D
S V L A N N I V E R S A R Y N
U W I X G B R N X N E L O V E
B H M W Z Y H R E V U E W T S
H E A R T S C E L E C T I O N
X H F R B R T W T O A S T V B
V K C S B X C O U Y I A P H V
R S V X I O N H W V R E K P V
O A X S G G R S J A S F L A U
```

PUZZLE #10

GEOGRAPHY BOOK

BAY	DUNE	LANE	PENINSULA
BRIDGE	FEN	LATITUDE	POND
CANAL	HILL	LONGITUDE	PORT
CITY	INLET	MARSH	RANGE
COUNTY	ISLE	MOUNTAIN	RIVER
CREEK	KEY	OCEAN	ROUTE
DEGREE	LAKE	PARK	SEA
DELTA	LAND	PEAK	STATE

```
W L O Y X L E F S A I B A Y I
D L T L A A D K E Y W N Z D B
A I M N A W U S U N W U L P R
C H A N U T T N H R A N G E Y
D C X P E N I N S U L A V T T
N L O C F A G T M Z W I E U R
O R A U T N N Z U K R M E O X
P Z H N N L O Y X D C K R R G
K D U N E T L G E K E R G Y V
W O B C B N Y B R I D G E X O
M V P M N K G A S P H T D E W
D E L T A Z P O R T A L L C K
I S L E E R E H N T L L A K E
P Z P K C W S J S C R F L N V
T L N X O N N H I J I T T C D
```

PUZZLE #11

SEW WHAT!

ALTER
ARTICLE
ATTIRE
BELT
BRAID
BUST
BUTTON
CLOTH

COLLAR
CUFF
CUT
DARN
DART
EASURE
FABRIC
FROCK

HAND
HAT
MEND
NAP
NEEDLE
PIPING
PLEAT
SCARF

SEAM
SEW
SKIRT
SNAP
STITCH
TAILOR
TUCK
WAIST

```
E N C T U C K C U T D H N H X
T X O O E E U I I N Y A C A W
N E E D L E N F E O A T R A P
D D A V C L I M F T I Z X T X
H N B L I H A A A T T I R E E
W A I S T I U R S U E A N W C
E H T O R E P U B B R T A I E
S B L C A I R O P O U R R O S
U C R X S S E A M T S B E L T
P L E A T C N Z S C A Y U M U
P I W S I S A O T F E I A S O
X K P P S D F R O C K R L N T
B J O I V P I D F A X L S O N
B D A R N K P C U O K U P I R
T P Y R S G I Y F C P R U H N
```

PUZZLE #12

SOUND OFF

AVER
AVOW
BABBLE
BEEF
BLAB
BLATHER
BLUSTER
BRAG

DISCUSS
DRAWL
EMOTE
GAB
GOSSIP
GRIPE
KID
MOUTH

ORATE
PRATE
PRATTLE
RANT
RAVE
RECITE
REPORT
SAID

SAY
SHOUT
STATE
TALK
VERBALIZE
VOICE
YAK
YAP

```
K I D I B K R W S Y I B L Z G
E S T A T E M M S Y A H D T Z
Z R L D H R K C U G V P U P E
I B A T M X E Y C E M O T E D
L S A V P P H C S P H R I I G
A L J B E E F U I S C K A C U
B L U S T E R S D T L S Y N E
R E L I G E S U R A E N L H T
E Y W Y T O R A T E V G T T T
V G A A G D K S L L P E W U M
N S R K R Z Z B X T V O R O E
Y P D I F O B L R T V W R M A
C R T R P A D M I A W H V T E
W M Z S B E X N G R G R C S F
S W H T C V G Z U P W J G N H
```

PUZZLE #13

FAT FREE

ASPARAGUS COST ORANGE PLUM
BAG FRUIT PARSLEY POTATO
BEET LEEKS PEA SAGE
BROCCOLI LETTUCE PEACH SPROUTS
CAULIFLOWER MELON PEAS STORE
CHERVIL MUSHROOM PEEL TOMATO
CHIVE NUTS PEPPER WEIGH
CORN OKRA PINEAPPLE YAM

```
B W I P R E M W Z Y C P E A S
P E E L E D U L E E K S S R S
W O E A W P L D G I X U L K P
O T A T O W P C N P G F Y O G
P A R S L E Y E A A L H T A U
N M C T F L B F R U I T B F M
R O S U I T E A O A V P F J I
O T X N L P P T Z X R C R L N
C O S T U S N A T R E C O U O
P I N E A P P L E U H C U J L
X P A Z C H F R Y L C H I V E
Y L E M U S H R O O M E S R M
P O T A T O V U R U R X O U T
E E B T C E O B X X T T D J D
X S A G E H D A C T S S V U S
```

PUZZLE #14

WAY OUT WEST

APTOS	DARWIN	ORICK	TAHOE
ARVADA	DAVIS	OXNARD	TERMO
BELL	DELTA	PEOPA	UPLAND
BREA	LAMAR	PROVO	VAIL
CACTUS	LINDA	PUEBLO	VISTA
CERES	LODI	RENO	WASCO
CHINO	LOMA	RIFLE	YUMA
COVINA	MESA	SALEM	ZENIA

```
O A U V I S T A G L O M A M A
V M T P E I F Y X C N B O S W
O U R R L V G S T Y E D E K J
R Y E X C A C T U S R M N L S
P C T F N D N X D A R W I N L
K E V I O E T D N W R B E S J
G R V F L X Z X I O U V O S U
D O X T B M O J T C U T A J N
C H B D E L T A L S P X U D P
K R E L U R E A L A M A R A A
T H A L P A M Y H W L F P Y O
B S O R I C K O M O Z O S I N
A R X N K N R I F L E L O D I
R X E P R R D C O P P I T R H
N Z V A I L K A U O U E A E C
```

PUZZLE #15

BODY PARTS

ANKLE	FINGER	LASH	NERVE
ARM	FOOT	LEG	NOSE
BICEP	HAND	LID	SHIN
BONE	HEAD	LIVER	SKIN
BROW	HEART	MOUTH	SPINE
CALF	HIP	NAIL	STOMACH
ELBOW	INSTEP	NAPE	TRICEP
EYE	KNEE	NECK	WRIST

```
I  H  G  Z  C  E  F  U  L  P  T  C  M  C  H
V  N  E  G  P  V  V  B  V  S  L  I  E  S  T
P  K  S  A  Z  J  S  P  I  N  E  L  A  G  U
B  T  N  T  D  R  H  R  H  C  K  L  E  V  O
T  R  I  C  E  P  W  E  C  N  E  L  W  Y  M
L  W  P  G  W  P  I  T  A  M  K  P  O  V  E
V  I  N  F  O  M  M  E  M  R  A  A  R  M  E
H  I  D  U  B  O  V  O  O  B  T  K  B  S  L
F  N  N  C  L  R  I  O  T  O  O  H  O  C  Y
W  L  I  V  E  R  F  E  S  H  A  N  D  G  H
I  I  L  N  S  L  E  O  S  H  I  N  E  G  K
F  V  E  C  A  N  Y  G  O  Y  W  T  E  K  D
T  R  L  C  K  I  A  U  M  T  E  Z  I  C  R
X  E  P  V  M  K  F  I  M  W  S  Y  C  I  K
A  N  U  C  N  S  Z  E  L  Y  S  I  J  U  S
```

PUZZLE #16

FOOD FOR THOUGHT

BAR
BOWL
CARTE
CHECK
CLAMS
COCKTAIL
CUP
DECAF

DESSERT
DRINK
DUCK
ENTREE
FEAST
FORK
FRUIT
GLASS

KNIFE
LIST
LUNCH
MENU
NAPKIN
PIE
PLATE
SAUCE

SETTING
SILVER
SPECIAL
STEAK
SUPPER
TOAST
TUNA
WINE

```
C H T Y J G W T C G Z T D W L
N L S G W H R S L N L D W F W
P L A T E E U J I T O A S T O
U T E M S O J K A L M M S T B
C S F S S U P H T E V E V S C
S P E C I A L I K S I E N M G
X D V T N P P N C P A L R U F
B V B E T S W G O A O U H A S
T U N A O I X S C B J K C U X
L I S T R E N E T V C E N E A
W D V M F E T G T E D D U C K
S U P P E R K I H F A O L R N
H Y P O A T U C R I V K O E I
Z N X C D N Z I J N X F R M R
T L K E U E T K T K O K U L D
```

PUZZLE #17

STUDENT NEWS

AIDE
ALBUM
ANNEX
ASSEMBLY
BIOLOGY
BUDDY
BUILD
CHAIR

CHEMISTRY
COPY
DIGEST
DISK
ECOLOGY
ECONOMICS
ENGLISH
EXAM

GRASP
GRIND
LEARN
LIST
MATH
MEMORIZE
NOTES
PEN

PENCIL
PORE
ROTE
SENIOR
SIGN
TAPE
TEACH
WORK

```
V D E Y B U D D Y E R U E C P
S R P R H L N N Z B O K D J Z
U F J T F S I I O Z I W I Z A
A U H S W A R B A T N T A P E
A S N I R O G K S P E N C I L
Y E S M M Z R R I T S S D N T
P O R E C O N O M I C S L S A
O M M H M E A W T M A D I S K
C O R C H B C K Y E H L U G E
D K I C J W L O Z K S I B T N
G R A S P D X Y L G I Z S U X
P E H A Z E U X F O L E O H M
T Y C M N B I O L O G Y X T T
X X C N T G S R O I N Y M A P
L E A R N P Z B D C E H T M M
```

PUZZLE #18

TAKING OFF

AUK
BAT
BIRD
BUTTERFLY
COOT
CRANE
CROW
DOVE

DUCK
EMU
FINCH
GREBE
GULL
INSECT
LARK
MOSQUITO

MOTH
OSPREY
OWL
PELICAN
PIGEON
PLOVER
RAIL
RAVEN

SNIPE
STORK
SWAN
TERN
TOUCAN
VULTURE
WASP
WREN

```
V L G K D C F D M X A M R G F
B U U I L A R K P W E N I T J
Y A L H I I Y O H L A D N O U
C L T T B B L C W C O W U O T
N R U O U X F F I E V V M C W
E Z A M E R R L O S P R E Y K
R R Z N B N E O K B R S N R E
W A S P E P T T K W N A X T E
D A H V R W T I F I W N I P R
C O A F G U U U M S A H S L T
V R V M M S B Q U C W C T Z X
O V F E R D T S U O S N I P E
B W J P I G E O N T R I G D K
G U L L U O T M R E R F G U H
V M C X G U X J T K Y Y D E H
```

PUZZLE #19

SHINE ON

BEACON
COMET
CORONA
CROWN
DAZZLE
FIRE
FLASH
GEM

GLARE
GLASS
GLEAM
JEWEL
LUSTER
MATCH
METAL
NOVA

PLATINUM
RAY
SATIN
SEQUIN
SHAFT
SHEEN
SHINE
SILVER

SPARK
SPLINTER
STAR
TAPER
TIARA
TINSEL
TORCH
X-RAY

```
F M L F T M W Y B S N S J L L
R A Y U M J A Y V O M G T E F
P C K F S R W T C K U X S A O
B K N P X T M A C S N N E V R
S P L I N T E R T H I G O O H
J U D E L B G R F T T L X N H
T C D A Z G L E A M A C V S E
N I T N Z Y G J H N L N A E J
Y E A O K Z Z D S I P L N C R
M T O R C H L S U U F E W X B
R G A O A S D E H Q R W O N T
G P L C S S H I N E V E R S E
S O S A T I N R P S E J C R M
T V L W R R L A E H H N I S O
F G S R M E T T F H U F S C C
```

PUZZLE #20

TOP DOG

AGA	DUKE	LEAD	PROF
AMEER	FUHRER	LORD	QUEEN
BARON	GOVERNOR	MAYOR	SHEIK
BOSS	HEAD	OWNER	SIR
CAPO	HONCHO	PHAROAH	SULTAN
CEO	JUDGE	POPE	THANE
CHIEF	KING	PRESIDENT	TOP
COUNT	LAIRD	PRIME	TSAR

```
T S A R J S W A O H F V T R G
U D L G X O U H E A P F N Y V
K T Z H A T C L C O P O D L D
G O V E R N O R T R R C A P O
B Z P X O E Z H Y A L I E U Z
W O H H Z D T Y B H N A L R I
T G S Q X I W H E P K Y I E B
K N R S U S F I A M A Y O R M
X I O W N E R H X N X E V H D
S K X T I R E J S H E I K U K
B L A H D P D N N G T K M F P
N G C M Y A E U D I N C E D U
P R I M E K E U E L U P C Z B
V T T H U E J S P R O F M F T
L O R D L O R Z P P C E K R Z
```

PUZZLE #21

FROMAGE IN FRENCH

BANON
BLEU
BRICK
CHEDDAR
CREAM
CUT
DANBO
DRY

EDAM
FARMER
GOAT
GOUDA
GOYA
GRATE
ILHA
JACK

KARUT
MOZZARELLA
OKA
PAGO
PARMESAN
PRATO
SAGE
SHARP

SLICE
STILTON
SWISS
TIBET
TSCHIL
WHEEL
ZIEGEL
ZOMMA

```
B L M O G A O C W P Z I M C U
H R G U E L O L V H R A T P W
S W I S S L S L I C E I O T K
W S E C G E Z D P R M E U K C
F D G M K R R W C R R R L N A
G O A T P A R M E S A N B H J
O D S O D Z Y N D K F T L L U
E S N D O Z R O A A I I O Y U
D T E G F O D T R A N M J V M
S H A R P M Z L L T I B E T E
C P Y B B X O I O D P L O Y T
E G O U D A H T E P Z O M M A
N S G B E C N S O G C P D X R
Y D A M S J V O B L E U S N G
S B A T L C U Z N P X L T L A
```

PUZZLE #22

HEADLINES

BIRTH
BUSINESS
COLUMN
CRIME
CULTURE
DEATH
EDIT
FARM

FBI
FLOOD
HEALTH
HERO
LETTERS
MOVIES
MUSIC
NATURE

PLAYS
POLITICS
POLL
REPORT
REVIEW
RIOT
SCIENCE
SPACE

SPORT
STORM
TREND
TRIAL
UFO
WAR
WED
WRECK

```
O D T M T R E N D U D T P Z D
I H H P O C M O F W R E C K I
T T T Y N V O S I O Y M A N Y
Z R R E M L I S P B U I X T A
N S I R F L L E T T E R S M H
M C B A I L R N S Y V C H R R
S I U X L O C I T X G H V A P
M T A L R P T S T X T V W F S
N I R E T F W U T L P D W Y T
D L H S H U R B A R G C A E I
Y O N A T U R E Y S I L T F D
O P G B T O H E V S P A C E E
F B I H A B R B U I S O U M X
U E I C O L U M N K E X R F I
T D T K Z N E O D G Z W A T A
```

PUZZLE #23

GOOD DOGGIE

AFGHAN	CHEW	GNAW	STAY
AIREDALE	CLAW	HEEL	TAGS
BARK	COLLAR	LEAD	TAIL
BITE	CORGI	LEASH	TEETH
BOXER	DIET	MUZZLE	TERRIER
BRIARD	DOG	PACK	VET
BRISE	EYE	PUPPY	WAG
CANINE	FIDO	SLEEP	YORKIE

```
E T N L G E Z M X T P B W A G
Y O A S J L T V U L B A R K D
E W H G G A V Z E Z L X C R F
I D G R H D I E T C Z Z V K D
U V F S B E H T T W F L G X N
L L A T E R R I E R O O E U O
G E J R A I I H O G D N I X D
L S S L G A T A S K I S K M H
B Z L R S E E Y R N F N R A K
P O S L E E P E A D G U O H L
C O X T I B S C N X Z N Y I O
Z K B E G I I K L S D T A G S
J M Z T R H D T S A T T I W O
P R F B O B C H E W Z A E V P
Z Y U S C L G L P U P P Y O B
```

PUZZLE #24

DIRTY TRICKS

BROOM
CARPET
DIRT
DOWN
DUST
EARTH
FLOOR
GRASS

GRAVEL
GROUND
MARBLE
MOP
MOSS
MUD
MULCH
PATH

PATIO
PAVEMENT
RAG
RAMP
RUG
SAND
SAWDUST
SCRUB

STONE
STREET
SWAB
TILE
TRAIL
VINE
WALK
WEED

```
S A T S H L B X X F D D U S T
W I N T R A I L G J N T O T H
P Y E M W U T U M A U H E W A
E L M S Z L R X S A O P U I N
T U E N E D I A S T R E E T D
Z I V V I D D V G A G B M O V
N S A W D U S T C B G O L V P
S R P W L M O P G U O K W E Y
G T I L E F L O O R U F T I V
E B X N D E E H B C A H U V V
N A I K L N D C G S T S P E O
I V R K O R B L W A L K S G L
L P A T I O A U P H S S X B M
X S S O H D D M O S S V P C A
O L A O T G O R P M E G M P O
```

PUZZLE #25

SUPER-NATURAL

BLACK
CAGE
CAPE
CHARM
COVEN
CURSE
DEMON
DOVE

ESP
FAIRY
GENIE
GHOST
HAUNT
HEX
IMAGE
MAGIC

MOJO
OCCULT
OUIJA
POWERS
PSYCHIC
RITES
RUNE
SEANCE

SORCERER
SPIRIT
SPOOK
TONGUES
WAND
WITCH
WIZ
WRAITH

```
O E L R T F R L O E R U N E S
J C K N I U E Z I C U T V P I
O N U G A T R N R C C O R A D
M A G I C D E M O N D U I C C
H E Y X R G C S W I Z Y L S H
H S E S P C R B S P I R I T M
C H A R M P O K Y P V N I S T
T O N G U E S N U L O A Y L A
I V V U T R A Y J U R B R J D
W R S E E K T I C W Y K I N E
C K C W N O T X M H C C A G E
C C O U X O U I J A I W F L M
M P Y N R P B G L M G C M T N
Y A G H O S T B V P R E W K C
V T F M X M E J I U B M U M H
```

PUZZLE #26

THE DAILIES

ADS
ADVICE
BLURB
BYLINE
CAPS
COLUMN
DESK
EDIT

EXTRA
FILM
FOLIO
HEADLINE
ITAL
NAME
NEWS
OBIT

PAPER
PHOTO
PUBLISH
RATES
REPORT
REWRITE
ROMAN
SERIES

SPORTS
STET
STORY
TYPE
WHAT
WHEN
WHO
WHY

```
R A K G C E R R M F L Z V O K
V E B Y L I N E D P O C A P S
L D W G E S S C P Z D L N T E
M J Z R N E R I W O X N I O D
P U B L I S H V Y S R D F O T
R Z I R L T S D G T E T Y P E
O E E N D D E A R R K L F H T
Z S W H A T P V C O L U M N S
J Y I O E M F A C P M F T E V
W H O T H O E E P S U A T B L
O W I O A D M L K E A A N R L
Y B D H K L N S T O R Y U U M
O F X P N E W S D I T F Z L A
T M M H H F R P I K X O I B Z
G B T W P Z X S B V E F G N E
```

PUZZLE #27

ROAD MAP

ACCESS
ADDRESS
ARCH
ASPECT
AUTO
BEND
BOOTH
BRIDGE

BYWAY
CLOSED
COIN
CURVE
DETOUR
ENTRY
EXIT
FIRE

HOTEL
LANE
LIMIT
MOTEL
PARK
PHONE
RAIN
REST

ROAD
SLO
SLOW
SNOW
TOLL
TOWN
WALK
WAY

```
D C O A R B P G G A R C Z T B
N L L Z F Z H H X S U H L F N
E P S O V S V S O P O T L I R
B K S P S S S L Z N T L O A V
B R I D G E X A S P E C T W I
F X Z W C R D H K T D R W W K
Z C C C R D A B O H Y E O B P
H N A U K D W M A R H N L A G
E L Y L R A N K T C S O S H D
C X A L N V O N L I M I T E X
F W W N N Y E Y T V P O F E G
R P Y P E W E S I O O A E X L
W E B N M Z E O X B W A R C H
R A I N A R H D E X A N I K B
L P Y N R Z L V M C N G F S J
```

PUZZLE #28

SPACE CADETS

ALPHA
APEX
AXIS
BANG
CELESTIAL
COMET
CUSP
DIPPER

DWARF
FLOAT
MARS
MASS
MOON
NADIR
NEBULA
NODE

NOVA
ORBIT
PLANET
PLUTO
POWER
QUASAR
RAY
ROCKET

ROTATE
SATURN
SOLAR
SPACE
SPACE WALK
STAR
SUN
VENUS

```
P A T M O O N K R A Y J O P N
S P A C E U C L N L T R B R W
U F O S S R S A B Y E K U V S
C W L R A S C W H T T T M I U
P H F A A Q X E P L A N E T N
H C O M E T U C E S T N O D E
C E L E S T I A L P O W E R V
L V L I S A L P S T R R T C V
I U D I H U B S U A F P B L L
B W X P B S O L A R R G N I C
N A L E P O P D A E O O D Z T
N A N Z M V X W O P J C D O I
Y O D G G E D O N P K K K P J
A C V I P O X F H I N Z B E G
B S T A R L F E W D K M C G T
```

PUZZLE #29

TIME ENOUGH

ALARM
BEAT
CLOCK
CYCLE
DATE
EPOCH
ERA
FUTURE

HAND
HOUR
LIFETIME
MONTH
NIGHT
PACE
PAST
PERIOD

PHASE
PHRASE
PRESENT
RHYTHM
SEASON
SECOND
SOLAR
STAGE

SUN
TENURE
TERM
TIDE
TIME
WAGE
WATCH
ZONE

```
X O E G T I D E S S X O R W M
H P M E Y O C M W T E N U R E
T M I Z I A D I S R N C W M L
Z S T R P D W T U O H U O E H
P R E S E N T T M U L X S N U
X P F A R C U K P H R A S E D
R E I G S F V C H Y H M R S X
W T L N V O A O E P S H N Z D
P A S T I I N L S W A T C H G
J D G B Z G C C A Z B Y A F Y
E T D E A Y H A L R G H C G B
Z R N T C C T T E R M R N M E
O R A L O S N N S U N O O O D
K E H P N R O O Z O V N S F C
B W E P J Z M R N H V D E B E
```

PUZZLE #30

BAND BOX

A-FLAT
ALTO
BAR
BASS
BATON
BLUES
BUGLE
CHART

CLARINET
CLEF
CONDUCT
DRUM
HYMN
LEAD
MAMBO
MARCH

MUSIC
NIGHT
NOTE
OBOE
PARK
POPS
RAG
REED

SAX
SNARE
SOLO
SOUSA
STAND
TEMPO
TUBA
WALTZ

```
B O A Y K S O S A G E K F J N
B A I F S L S B A R L B N K M
I S R A L T O R O X G U E M Y
D P B D L A T Z E E U O U U H
C O N D U C T O T E B R Z G M
K P E M B L E O N M D L K R E
C I I P A G N W A C Z S U F I
I W E W L O I M A M I X P E H
S N A R E E R B C H A R T L S
U T M F L P A R K S C R V A G
M N A G T O L D U C Z E C F T
C O I N T P C O A B F X E H N
N F O G D M S B A S O L O O V
U U O J H E U F B U C E W K J
T M L B A T O N G W H I B N H
```

PUZZLE #31

PAMPERED PEOPLE

AEROBICS
BATH
BEAUTY
BEND
BODY
DIET
ELBOW
FACIAL

FAT
FEET
FLEX
HAIR
LOOFAH
MANICURE
MASSAGE
MUD

NAILS
OIL
PEDICURE
REST
RUB
SAUNA
SLEEP
SPA

STEAM
STRENGTH
TAN
TROT
TWIST
WAX
WEIGH
WRAP

```
M D Y K G T R O T H B F R X H
G A T D S E U E H T U W A S G
V E N E Z E I R W A R W C T I
P E R I R F I U S B I I C A R
B O D Y C W E C E S B R L N X
D C T V G U G I A O P P M U P
T V D I E T R D R G T A N A W
O U X U S T R E N G T H R S B
M I E O E K A P G U M W L W X
L E L I G I L R L W L O R W H
W O F T A Y N A A Z W B I G M
Z F O O S Z I A Y H R L I A J
X Z W F S C C P I S L E E P M
X P B E A U T Y J L W T H A P
N N G F M H K T W I S T Y U V
```

PUZZLE #32

SHIP AHOY

AFT
AHOY
BEAM
BELAY
BIGHT
BOARD
BOAT
BOOM

BUOY
DECK
DOCK
FURL
GUNWALE
HOIST
JIB
JIBE

KEEL
LAKE
LINE
MARINE
OAR
OCEAN
PAINT
PIER

RACE
ROPE
RUDDER
SAIL
SHOE
STERN
TILLER
WAVE

```
K R M Z O J I B T L T V N I U
C J U A I C W D J N I K R Y D
O S K D D V E R I S H O E O P
D C J C D P R A B I G H T E L
M A R I N E P O N I E S S I L
E A F T L L R B S Z I Y M D G
O I L L Y A X M R O X A V K G
E D I E S W F H H S B L R T R
N T V E A N A Z W A V E T C E
Y C B S N U D E C K I B A N M
B I G O T G P P V P L H I M S
J U L A O O W D E I C L G Y M
A H O Y R M R R A C E R A D Z
Z B I Y L L P S H P N U R K E
O N Y U M V R P K P N F A A E
```

PUZZLE #33

WETTER AND BETTER

BREW
COFFEE
DEW
DREGS
DRESSING
EDDY
FLOOD
FLUID

GIN
GRAVY
GULF
INK
INLET
JUICE
LAKE
LEES

LIQUOR
OCEAN
RIVER
SAP
SAUCE
SEA
SOUP
SPILL

STRAIT
STREAM
SWEAT
TEA
TIDE
VINEGAR
WATER
WINE

```
L I A E G D S O R A W N I M W
C E D G N A R E C P E I Y C N
T O E O I N K O A E D V N R W
S V F S S N M S T R A I T E J
O A D F S A H I A R A N R T G
U V I N E G A R G O D B Y A Z
H U I R R E O B K U O Y I W T
U G T N D R E G S Q D Z N X Y
L S G O L O M R R I V E R D J
Y Y O S W E A T U L X I D O X
H L H U C C T L L A K E L Y E
F F P I O U F T F Z P V L D S
H G U L F A L A N J C Y I F L
S J O Z V S C J U S J T P R F
A K S I V W U J Y Z U C S Y V
```

PUZZLE #34

HORSING AROUND

ARAB	GAIT	HUNT	SADDLE
BIT	GRAIN	JUMP	SHANK
BOOT	GULLET	LOPE	SPRAY
BRIDLE	HACK	MANE	STABLE
CANTER	HALT	MORGAN	STIRRUP
CINCH	HAT	MUZZLE	TAIL
DRESS	HAY	RACE	TROT
FILLY	HORSE	RIDE	WRAP

```
S B I T Y D K M T R A C E P T
R T H Y I W N I U X P P S M E
L I A S P R A Y C Z O Z R U A
O W D B X G H K Y L Z V O J T
M A N E L I S B W Y K L H R U
W G U L L E T B R I D L E I E
N R L T L W G G S X T S N M
S C A D P P S T A B N H O X Y
B H D P U N T M A A R C K L L
H A Y D R H L R C T C N L X A
S A M O R G A N G R A I N W A
H U N T I E H C N T F C L Z A
E T M K T M S U K O Z I F H T
B D T E S F C S Z R A C F N E
L J H M V R B O O T K L G Y Y
```

PUZZLE #35

DIXIE DRIVE

ARAB
ATHENS
BILOXI
BRUCE
BUTLER
CLINTON
DIXON
DOVER

DREW
ELBA
EUTAW
FOREST
GULF
IUKA
LEEDS
MACON

MARKS
MASON
MOBILE
NATCHEZ
OSYKA
OZARK
PEARL
PORT

RAMER
RIPLEY
RIVER
ROXIE
SEALE
SELMA
TROY
TUPELO

```
W L X V N K O M F Z O N P O I
W B J W O R E V V O T S C T S
T A E U T A W L L X R Z Y F K
L R B D N Z M O B I L E P K R
D A O I I O I U K A L H S Z A
E D M Y L E I B R P F C R T M
P E Y E C O G A I U L T N O X
A O P U R S X R C X U A O B V
S U R N S N R I J C G N S W V
T B U T L E R P S E L M A J H
N M A Z M H A R G X R R M S L
O K A A E T X L I C L G D T D
X H R C W A N J E V D E Y V W
I K N R O X I E D P E A R L F
D O V E R N G P A L X R J D N
```

PUZZLE #36

HOMETOWN USA

ARDEN	DIXIE	MESA	SALEM
ARVIN	ELBA	NAMPA	SELMA
ATHOL	ELLIS	OCALA	SHELL
AVON	FELTON	ORANGE	TAFT
AZUSA	FILE	PACE	TRACY
BOISE	HOPE	PARMA	TYLER
CABOT	KENT	PORT	WACO
COCOA	MAY	RYE	YUMAR

```
Y E U D M M F N A W S T Z D A
A G N E T F G O O T C O G M D
M N L Y S Y T T C A N B R H X
K A E T B T L L D T R A C Y K
S R T B O I S E E A P C M G K
M O K H Z F L F R L N P T P T
H O P E O W Y U M A R N R L A
D X L C N L K N S C Z N O Y Y
E I I B O T H I H O E U P T E
F S X T L C L V E D X O S B R
P N F I L L O R R L I K K A A
M A V S E L M A N V B G W F B
T E C P H F K M R X E A V O N
O O S E S F O P Z F M E W V C
W C W A C O U H G Z R W W R T
```

PUZZLE #37

DOWN-TIME

AND UP   GRADE   SIDE   TO A
AT THE   HAUL   STAGE   TREND
BOY   HILL   STAIRS   TROD
CUT   HOME   STATE   TURN
DRAFT   IN THE   STROKE   UNDER
END   PLAY   SWING   UPSIDE
FALL   RANGE   TIME   WIND
FIELD   SHIFT   TOWN   WITH

```
Y I M O H T C S Y S G E Y S M
O W N T X U M R Z E W T F H X
B V I T P C O I T R R I V N N
C W G N H E N A N D U P N E E
U P S I D E T T T O B V U G E
N S U T K S F S X T L O N A C
F R T O U N D E R Z H A S T M
H N R X B N L R V I R E X S E
L T P C E U H J A C X L O M J
S M G R A D E O P F E Y I F O
K L T H T O A H M B T T U R N
R X E Z F R V F I E L D O H Y
W E D S I R O J P L A Y W W S
I N I N H P U D A F L M Z H N
E L S I S C S F G N I J U D X
```

PUZZLE #38

THE COOK BOOK

BASTE   COOL   GLAZE   PUREE
BLEND   DICE   GRILL   ROAST
BOIL   DRAIN   HEAT   SAUTE
BREAD   DREDGE   LADLE   SHIRR
BROWN   FLAKE   LARD   SIFT
CHILL   FOLD   PARE   SIMMER
CODDLE   FRY   PEEL   STEAM
COOK   GARNISH   POUR   TOSS

```
X S V P H A J C D L A P B D C
O D I C E E V R H Z I I N I J
S Y E M I E A U K I G E I N L
S T E A M L L T X G L A Z E D
O U R D R E D G E B H L T L F
T L U F L A R O A V S T O V A
G I P D L A D L E F I F R E X
O I D Z I A B F R Y N I T C O
T O G N R M K U A O R S W H Y
C H H W G B O E P S A U T E X
M V D O R P X F R B G S L R U
D J B R E A D E O C D O T G M
T D I B A Z M X F B O I L S U
V H P L R I O N L C K O D C S
S Y H I B D N U F D N N K O E
```

PUZZLE #39

NOT WHILE DRIVING

APRON   CHIPS   KEG   PUB
BARREL   CUP   LITER   QUART
BEER   DARTS   MUG   SHAKE
BOTTLE   DRINK   NAPKIN STEIN
BOWL   DRUNK   PACK   STIR
CART   FLASK   PINT   SWIZZLE
CASE   GLASS   PONY   TOWEL
CHECK   JAR   POUR   VIAL

```
B Y H M W K F C N J B I J K U
K O K C B C U R I X X E K N E
D E T R C A S E K P S N E U T
M U G T K P N H P S P O U R H
Z N R X L O O D A R T S U D S
F B A R R E L L N K S Y C N K
D L C P E L G O L O E T U C P
Q U A R T Z Y G X T O W E L Y
U C L S T Z D V B I S H S I C
C V N N K I Z R P P C M Y A N
S T I R R W J L I T E R N C K
F P T A B S N H B N Z B O W L
N J R E L H C D U K K E P I S
H U A E C H C U P U B Z I Z Z
L O C R L L S R G G M P E S K
```

PUZZLE #40

CASH AND CARRY

ACCOUNT
BILL
BREAD
BUCK
CENT
CHANGE
CHIP
CREDIT

DEUCE
DIME
DINAR
GELT
GREEN
LIRA
LUCRE
MAZUMA

MINT
MOOLA
NICKEL
ODDS
PELF
PENNY
PESO
POUND

QUARTER
ROLL
RUBLE
SCRATCH
SHEKEL
SINGLE
THOU
YARD

```
L L L T K W C L W L O O M G W
Y L V N C M L R B Y A R D N P
J O I U U I S H E K E L D D V
S R H O B X E K L D J N H A S
N C W C V G N G G Y I G D M T
N C R C N N E O N U E T N U U
N Q U A R T E R I V E U L Z B
U B H M T O R G S R B R E A D
C C A V O C A U C T Y X C M T
V H R M V O H U B H N E N O E
P N I C K E L J R L N E F Y T
M O L P E P C A C U E C L L U
C W U V M M N T N R P P E S O
O F B N I I K W G X Z G P N H
U B O L D E U C E K H M I N T
```

PUZZLE #41

HERE COME THE BOYS

ABNER	BASIL	MURRAY	RYAN
ACE	BERNIE	PETE	SCOTT
ALAN	BRYCE	PHIL	SID
ALEX	CARL	RANDY	SONNY
ALLEN	MACK	RAUL	STEVE
ANDY	MARTY	RAY	TOM
ARNIE	MATT	RON	VERN
ARTIE	MEL	ROSS	VIC

```
X N M E L C Y A U E J M R N D
M O E H Y D H B C V R K A S I
T R I C N B R Y C E Y Y Y C S
P F N A L E X O N T R T E H K
M U R R A Y F B A S R S H C C
S W E A T K A C B A S I L L T
O R B T R P J V M B R S V S T
E R A S O N N Y P P T T F I O
X M A U E I I D V E R N I X C
P H I L L C D E H Y T F X E S
G G L W A N A E A B A E D B S
F A V F I N P R O S S H V B J
A H E K P X X P L C I E I W C
N V K Y C W R M C U C R G V L
H H P Z C X C M N C R C H B A
```

PUZZLE #42

THE TANNER MAN

BACKPACK
BAG
BALL
BOOK
BUTTON
CALF
CAP
CASE

CHAMOIS
COW
CROP
CUFF
GAUNTLET
GLOVE
GOAT
HAT

HEEL
HIDE
HORSE
MANTLE
MITT
MOCHA
POUCH
SEAL

SEAT
STEER
STRAP
SUEDE
TAN
TRIM
VISOR
WALLET

```
T R T B P G I K N P G J T J S
M M E A A D V R O H A W A H Z
L I L B C L E S T M S B O O K
L R T W A L L E T C F U G N H
C T N T T Z U C U R S T E E R
Z H U N F U J P B U A V U D B
T B A C K P A C K Y O P I A E
R M G M F F X T V L Z H G W A
O C J L O V H A G I M C R H X
S E A L H I D E T R S U C Z T
T C T S I F S S E O H O R S E
W A Y E E F A W P L M P R Z L
H G N I K U O A T A U V K D K
T C A P I C R O P A B W D Y Z
L G W B M D G H N O K N P Y O
```

PUZZLE #43

STAR QUALITY

ALDA	DAY	GARY	NICK
ALLEN	DEREK	HANKS	ORSON
ANNE	DYAN	HAWN	PAUL
AUDREY	EBSEN	INGRID	ROBERTS
BETTE	ELLEN	JOHN	TOM
CAGE	EMMA	KIRK	TONY
CARY	FAYE	LIONEL	TRAVOLTA
CYD	FRED	MERYL	YUL

```
M E A R I L Z X O D Z L D X E
O A T Y E N L S O I Y M Y U L
T Y L N F C A U D R E Y C P O
Y R O B E R T S E G S O V N X
D I V J I Y U M L N U O E P D
L Z A U P A U L H I R L N K B
S P R B M D X Y D N L T W C B
E T T M E B S E N E N W O I T
C E E N S T E D G L R D S N X
L X N E K Z T K J L C E H F Y
D A Y C N H K E G A N O K Y O
X A D Y A N M I C W J F R E D
F J L A H R J C A G E A I A J
X N E D C G Y H F E G X K M L
V T M B A K E U M I J W B K A
```

PUZZLE #44

FOOTSIES

ANKLE	CALLOUS	LIGAMENT	SPAT
ARCH	CLEAT	OXFORD	SPLAY
BLADE	DANCE	SHOE	STOMP
BLISTER	FLAT	SKATE	TAP
BONE	FOOT	SKI	TARSUS
BROGUE	INSTEP	SKUFF	THONG
BUCK	LACE	SLIP	TIE
BUNION	LIFT	SOLE	TOW

```
N E D M T T K L P T E R X L F
N D P F W N V M A I D D R B E
B L I S T E R L T C R F C L J
C L L Z U M F U Y O E V K K W
O W S G Y A S O F D W N D C G
A K O O I G U X K T A R S U S
S R B U N I O N P F V N P B G
B P K P M L L Z P J M M C W N
R V L A T A L T E K O Y U E O
P B L A D E A A T T O U P E H
I I E E Y T C K S K U F F C T
K L F N E A Z I N K O S R S I
C U W O V P K G I R A A R K C
W A H B O S O L E O L T W I U
H S E Y B T Y O F O P P E E X
```

PUZZLE #45

OVER THE RAINBOW

AZURE
BEIGE
BLACK
BLUE
BRASS
BRICK
CERISE
CHERRY

CREAM
GOLD
GRAY
GREEN
LEMON
LILAC
MAIZE
MELON

NAVY
OLIVE
ORANGE
ORCHID
PEACH
PINK
PLUM
PUCE

RED
ROSE
SALMON
SEPIA
TAN
UMBER
WHITE
YELLOW

```
N Y P J P E M Y P W D G Z M Y
K A J P L U M W O J I T O N S
E R V C B L C L B F H Z E L K
S G U Y H B L E G Z C E K Y D
O R A N G E K A C E R I S E E
R G M O Y C R K T G O J R R L
D A F M A W N R B W U A U F O
L M E L O N H W Y R M Z I I F
P I B A E A H I H M A I Z E T
W F L S O M S S T R E S T Y B
D H J A K R O V F E R E S F I
T P E A C H C N V B C G I W V
I A W Z I Y N I O M T I S B I
P I N K R X L P M U S E P I A
B Z V K B O D V Z M Y B F B H
```

PUZZLE #46

BUG OUT

ANT
APHID
BUG
CICADA
COCOON
CRAB
DAMP
EYES

FLEA
HORNET
IMAGO
INSECT
ITCH
LARVA
LYME
MANTIS

MITE
PAPER
POISON
RAID
RASH
ROACH
SPIDER
SPIN

SPRAY
STING
SWARM
TRAP
TSETSE
WEB
WHITEFLY
ZAPPER

```
S  M  J  P  O  T  L  U  S  W  A  R  M  G  A
P  P  M  L  Y  N  H  B  D  P  E  N  U  V  H
R  A  I  D  L  A  N  A  H  P  R  B  R  O  J
D  D  R  D  F  C  T  D  P  S  W  A  R  M  I
H  O  R  N  E  T  O  A  Z  F  L  B  Y  P  T
J  J  U  Y  T  R  Z  C  E  B  L  O  B  C  J
C  S  P  B  I  N  B  I  O  O  A  E  E  R  N
F  R  A  S  H  I  U  C  G  O  M  S  A  H  P
G  R  R  S  W  P  T  A  D  Y  N  D  D  Z  C
C  S  T  X  T  S  M  C  L  I  O  I  Z  E  R
N  M  A  N  T  I  S  O  H  L  S  H  E  E  Y
M  M  R  S  D  R  N  V  Y  J  I  P  P  Z  R
G  I  I  E  A  D  Y  G  P  R  O  A  C  H  J
X  F  T  Y  P  N  W  U  C  F  P  W  S  R  P
W  T  S  E  T  S  E  B  D  P  F  A  E  I  N
```

PUZZLE #47

GREEN'S THE THING

ACRES   FOREST   LAND   PEA
APPLE   FROG   LAWN   PEACE
BEAN   FRUIT   LIGHT   PICKLE
BUSH   GRASS   LIME   PINE
CELERY   HEDGE   MANSIONS   RUG
CHARD   HORNET   MEADOW   SOCK
FERN   HOUS   MINT   STEM
FLAG   KERMIT   PATINA   TOAD

```
H E A L D L L F Y S R U G O T
A O V P A M I R N N L M M Y N
C X R E O W E M R O V A E A I
V F P N T L N J E I Y W N Y M
G F O R E S T K F S O I I D T
F A F C G T Y I G N T W P I N
D H P K D I H M E A D O W A K
V E I P J M U E P M S T E M J
K V H G L R S C D V H B Z L U
P I C K L E T X N G R A S S C
P B D Z R K I C I G E T G U I
P E R C O T U L A H G N K A M
K K A I S D R L P Z O O C P C
O S H C Z R F R O G B U O E S
G M C A E W T L W T B U S H L
```

PUZZLE #48

NATIVE AMERICANS

ADAI
APACHE
AUK
BEADS
BILOXI
BRAVE
CADOO
CARIB

COOSUK
COREE
CREE
CREEK
DENE
DRUM
ERIE
FEATHER

FOX
HAIDA
HOHE
HURON
IOWA
IROQUOIS
ITA
MIAMI

MOCCASIN
PAIUTE
SAC
TEEPEE
TINGI
TRIBE
WAR PAINT
YUROK

```
M Z J E T N E I S A C S S Y C
U J N S N B E G T V U R I V E
R E H T I N G I R X T K O T A
D N A R A Z X E C O O S U K Z
R F T P P K H D F F D I Q Y X
I Z S N R T Y T F V A K O V M
M O C C A S I N E P I G R D S
G O O E W B X K H E K F I V N
T D F H U R O N C O P S X J O
H A I D A R L H A O H E I J S
B C I P U L I A P C R E E D C
T R M Y A E B W A S R J A X K
P C A R I B R O C O R E E B T
P B I V A D A I S N B V E E H
D E M K E B Y Y Y E M F W G K P
```

PUZZLE #49

NINE TO FIVE

AIDE	COST	GRAPH	PAPER
ART	CREDIT	INPUT	PEN
BANK	DATA	KEY	PHONE
BOOK	DEED	LABEL	PROOF
BREAK	DESK	LETTER	RULER
CHAIR	DOOR	LIST	STAPLER
COFFEE	FAX	MAIL	TEMP
COMPUTER	FILE	PAD	XEROX

```
Y G I V W Y D R T N P E C T D
E K C Z A F A I U W P P K R H
K O D K L R D Z V L E A S F O
S T A P L E R P A P E R T T P
F R C M R T T K C R F R U J O
P A D C R U O T B M F C P R T
F L X I Y P S R E J O X N S I
S T A F M M E P G R C E I N Y
F H J B S O P W R U N L H D N
C I P H E C X E R O X B P F C
P K L N P L Y G H E O J A T Z
D O D E E D A P D W P F R N G
C O S T G C T I F M M N G W K
X B O E X M A I L D E S K V M
F M E R Z A D Y R P T G K U R
```

PUZZLE #50

FOOTBALLERS

BACK
BENCH
BRACE
COACH
DOWN
FIELD
FLANK
FOUL

GAME
GIFFORD
HUDDLE
IRISH
JERSEY
LACE
LINE
PASS

POWER
RUN
RUSH
SAFETY
SHIRT
STADIUM
STARR
STICK

STRIPE
TACKLE
THROW
TIGHT
TITTLE
TOUCH
UNITAS
YARDS

```
K O E E V M M O K E J H K W A
N Z M A C V U R L H X S J J A
B A C K T Y I D K I V I A E N
G I F F O R D B V J E R S E Y
C X K Y R U A N V L L I R U N
I P N R H P T M K G T W Y W W
Z L A C E G S C H S T I Z O O
K T L S I F A C S O I N G R D
S C F M S T U K U T T K X H H
C B E S A O C X J M I M H T T
S A F E T Y V O B E N C H D A
H H H C I R F Y A R D S K L P
L U I A N D I O Y C P O W E R
N A J R U S H P U C H B L I Y
Y X R B T Z Z Z E L I N E F J
```

PUZZLE #51

THE CHILDRENS HOUR

ACTION   CHECKERS   HOOPS   SAND
BALL   CHESS   KEN   SLINKY
BALLOON   CLAY   KITE   SOCCER
BARBIE   CRAYONS   MARKERS   SWINGS
BIKE   DICE   MOVIES   TEDDY
BINGO   DOLL   PAINTS   TENNIS
BLOCKS   GAMES   PENCIL   WAGON
CARDS   GHOST   PUPPET   WIND UP

```
R S J Y W U S B B B S K E N A
W W A T P N F N S A D K O F R
K L A N O A B A L L R G R E M
C M G Y D D I C E X A B C T B
V B A L L O O N B W C C I T T
G R P R M B N L T M O V I E S
C A U H K Y I F L S H V V P O
K R D S K E O K N R J O K P H
N S N N W X R O E E X S O U G
Y U I R S I I S T K F I D P Y
Z L W C K T N O I C X N T D S
S P E N C I L G K E H N D K E
Z M A A O F F N S H Y E G Z M
V M K P L M E I H C T T S J A
F W W G B G T B W W E J Y S G
```

PUZZLE #52

FISHY FUN

BAIT
BASS
BOAT
CAST
CHUB
COD
CREEL
EEL

FISH
FLOUNDER
FOG
HERRING
HOOK
LAKE
LINE
OCEAN

PERCH
PIKE
POND
REEL
ROE
SALMON
SCALE
SEA

SEAT
SHAD
SHARK
SKATE
SNAPPER
SOLE
SPOON
STREAM

```
H L L A K E Y C B T L B A I T
R E W U L N S H A D S E A T W
S E R O J R K O U S S F J S T
H C S R X E B A X P T C M N S
S Z D E I D F R M J S H A R K
J P F R S N A P P E R E E L T
E L A D O U G L S F C A R M E
N F I M D O P E P O I L T R P
E N L N U L B E O I V S S X U
N A O O E F T R R E K C H U B
S P M O U A K C G C R E E L S
K F W P K R O G Y N H X L D E
N Z D S D C O D I A C K J R C
F V N V R F H E L N K O O R A
R I J D T B N D X F R F D L A
```

PUZZLE #53

TEAM MATES

ADAM   CLARK   HART   LEWIS
ALLEN   DICK   HENRY   LOEWE
AMOS   EDITH   JACK   MOE
ANDY   ELIZA   JANE   MORK
ARCHIE   EVE   JILL   OLLIE
BURNS   FRAN   LARRY   OSCAR
CHEECH   GINGER   LAVERNE   RICKY
CHONG   HANSEL   LERNER   SHIRLEY

```
S H B T Y L W X E H P H E S I
M G A D D E G K W L F N A N N
F N N N Y N J C E J A M O R K
J A C K S R R I O J H D P U T
S H I R L E Y D L Z C C A B I
P F T H G V L A A L E V K M S
E S P N Y A R C H I E S O I H
K A I B R L K H Y G H R W X G
R G E Z R O E P K L C E N B U
A O S C A R I L C L L I N E R
L M C H L L E D I T H L Y R R
C H O N G S L C R Z V L A W Y
U M O E O L I E B W A O N W M
B L G M V N R R N W B Y E Y H
F R A N K E R V R F E E H E H
```

PUZZLE #54

ARIZONA OR ARKANSAS TOWNS

ADONA
AJO
ALPINE
BONO
BOONE
BUNN
CACTUS
CASA

CASH
CHULA
DALLAS
DIAZ
HETH
HOPE
LEE
LEUPP

MESA
ONYX
OZAN
PHOENIX
POND
POYEN
RUSH
SEDONA

SIDON
SMALL
STEVE
TOWN
TUCSON
VERNON
WALDO
YUMA

```
T H B T B O Z A N P E N E K G
S U N G R U S H L V O O E R V
D O C D D E N C N N U N L E V
U D N S M X L N O W P R V P O
D O O Y O I E B O O N E E H W
P O D V X N W P C T T V X L F
M R I R I E S B H S S X X O W
E F S P P O A B A U C F D O U
A J L B V H L N T G E L D J F
L A A E E P L C S M A L L P S
U S E D O N A C H W W D P Z I
H O P E K C D S J W G U O S U
C E B Y U M A P O Y E N M N O
O E T N M C L S D L O C W J A
H W S H K Y T W A Y D I A Z V
```

PUZZLE #55

MUSIC TO MY EARS

AIDA
ALLEGRO
ANDANTE
ARIA
BACKUP
BAND
BANJO
BAR

BASS
BEAT
CHORD
DUET
GUITAR
HARP
HORN
KEY

LYRE
METER
MUSIC
NOTE
PITCH
PLAY
RHYTHM
RUN

SAX
SHARP
TEMPO
TIME
TUNE
UKE
VIOL
VOICE

```
L O V A I D A G N M P O C S M
O R B Y G M U U W H B Z S I B
I G U T T P E E R T J A R I A
V E U K U P R T T Y B O N P E
M L L K E Y X M E H D E R D B
J L C X G U I T A R B A N J O
H A N D A N T E O F H I M R H
B A N E G W K H P S V O I C E
L A R H P I C L M J Y S T I V
H Y O P C T I M E N L I J S W
L J H N O T E B T I P R R U V
B A R C N N W D E V X P T M J
K A P U U H J P L A Y Y P Y W
C J H T N F E P S T T T O O L
H F I G E V F G O K M A E F V
```

PUZZLE #56

STAR SHINE

ALEC
ARNOLD
AVA
BARBRA
BETTE
BURT
DEAN
DIAZ

EMMA
FIELDS
FOX
GABLE
GARBO
GENE
GISH
GRABLE

GRANT
GREER
HOPE
INGRID
JANE
JONES
JUDY
KAYE

KELLY
LOREN
NIVEN
PITT
REX
SHIRLEY
TAYLOR
WAYNE

```
T G P Y P M X L N E K E F A Y
O A X Y I U O A K K L A U R D
E H Y E O N F R E B L P Y E U
F I E L D S G B A X O I M E J
Z T W R O O A R N O L D T R A
B T P I J R G A I K N T R G E
G I S H L O A B U D E D U E A
A P O S O C N G I B V L B B X
L A B M L O R E N C I B L A A
E W R N Z H L G S I N J M Y N
G R A N T B O N D G D M V M E
E D G Y A L A P X C E I B N R
L K M G N E J V E B V N A T K
H W H K D E H L A G I J E Z O
H A V N C G A H K R E X G U J
```

PUZZLE #57

N.B.A. (ATLANTIC)

AUSTIN	DAY	HOWARD	SCOTT
BILL	DICK	JIM	SHAW
BOB	EVANS	JOE	STARKS
BRADLEY	FOX	KITTLES	STRONG
BROWN	GILL	MARLEY	SZABO
CAGE	GRANT	MORNING	VAN HORN
CONLON	HALEY	SAM	WALKER
DAVIS	HAMER	SCHAYES	WALLACE

```
G L C K U S G R S M P V R E D
M L C R T N C V I I N N R G Y
G I L L I R A H V J K W S A M
D B N N L E S H A W G O D C M
R J R N H M T R D Y S R E P F
J O O A W A L L A C E B A I P
M X H O D H L B S K L S P N O
N L N C H L G E L X T Y X E T
S Z A B O G E A Y C T E T A S
N C V N I N W Y G M I L N K J
A R O D I O L X N B K R R H S
V E U T H R Z O H O W A R D T
E B S F T T I R N B T M F B E
E U M M P S M K R S U H W O R
A G P C M L N I L P I B J B X
```

PUZZLE #58

ON THE JOB!

CALCULATOR	FILE	PAPER	SCISSORS
CALL	INK	PARTY	STAPLER
CARD	KEY	PASS	STENO
CLIP	LUNCH	PEN	TABLE
CLOCK	MEET	PENCIL	TACK
COMPUTER	MESSAGE	RENT	TAPE
FAN	NEWS	ROLEX	TYPE
FAX	OFFICE	SALE	XEROX

```
T  T  C  X  H  G  K  P  R  E  W  Z  X  O  T
Z  E  Y  O  F  A  N  M  E  S  S  A  G  E  A
P  E  N  R  M  T  I  C  P  N  K  F  S  H  D
K  M  J  E  L  P  I  R  A  O  C  S  I  M  T
B  A  P  X  W  F  U  Z  P  A  A  I  N  L  N
Z  Y  W  M  F  S  B  T  S  P  T  R  L  O  E
T  C  E  O  H  X  Z  U  E  S  B  S  N  P  R
C  A  L  C  U  L  A  T  O  R  Y  E  A  I  L
O  G  V  H  Z  C  W  X  E  O  T  T  C  L  S
D  P  R  C  H  T  K  L  C  S  R  A  A  C  E
E  R  I  N  W  C  P  K  W  S  A  C  B  R  X
X  N  O  U  O  A  Y  X  N  I  P  X  W  L  Z
H  K  I  L  T  C  A  R  D  C  U  M  W  T  E
L  R  C  S  E  F  R  I  K  S  F  O  M  T  F
V  B  X  S  H  X  V  V  X  I  Y  N  J  O  K
```

PUZZLE #59

DECEMBER DARLINGS

ALLEN
AYRES
BEAU
BETTY
BILLY
CALLAS
COKIE
DANSON

DENVER
DICK
DIONNE
DISNEY
DON
DUKE
FRANCIS
FRIML

GERSHWIN
GRECO
IRENE
JANE
LIV
MIDLER
MORENO
NOEL

OSBOURNE
OSMOND
SAFIRE
SAMMY
STAHL
TIM
WES
WILL

```
D O N F D I C K G R Z B O A O
K L F S R U E I E M V I N K C
E I Y C N A K V D I S N E Y E
O S B O U R N E V T V N R L R
L C A I W E I C F O N K O L G
M M O N D Z W G I O T D M L S
I O W K Y W H B I S K N L I V
R R S G I L S D Z A O H D W P
F S E M F E R Y P S A M M Y D
I A W N O O E W N T A L R B W
D L R V E N G A S V W Y L I S
A L V X M I D L E R L T R E P
S A F I R E H N T L K T M E N
K C I N B E A U I I L E H A S
M U F V R J P B G D R B B R J
```

PUZZLE #60

AGAINST THE ODDS

ACTION	FAST	MUTUEL	SHOW
BOOK	GAIT	NECK	SILKS
BREED	GROOM	ODDS	SIRE
BRIDLE	HEAVY	OTB	STABLE
COLOR	HOPE	PLACE	TRACK
COLT	JOCKEY	REINS	TRIP
DERBY	LAME	RUN	VET
DOLLAR	MUD	SADDLE	WIN

```
B A T B F T Z N T N N D H J D
N R R I L A M E I V O W O T T
C E I O X R S W A S I R E C S
E U C D F R S T G M T V E G D
R Y A K L L X E B X C C H S E
S A D D L E D O L L A R N J M
M R U N L U I M S L Y I B S C
W S M B D T X O P D E R B Y L
O H A E G U T O A R K X S G K
H T E M Y M E R S G C S K F B
S R B A C P O G A S O G L P H
B F K N V L K L D C J Z I X U
C X R L O Y O D X S K R S Y G
F X V C S H O P E N T F Y F R
A E N U N O B K C Y D B T V E
```

PUZZLE #61

BREAKFAST BUDDIES

BACON
BAGEL
BOWL
BOX
BUTTER
CEREAL
CHEESE
COFFEE

CREAM
CRISP
FLAKE
GRAIN
GRAPE
GRITS
MILK
MUFFIN

NUT
OATMEAL
PANCAKE
PEP
PURINA
RAISIN
RICE
RYE

SCONE
SHRED
SPOON
SUGAR
TOAST
WAFFLE
WHEAT
WHEATIES

```
E S F D L P M I L K C N Y U B
D E M L U F U D A X I R L J W
A I G R A I N R N S B B I E E
O T V V N K J S I R T O A S T
P A N C A K E A F N Y I P E P
H E T W W R R L F I A E Z E L
J H X M A E Z W U S P H L H S
N W L G E F N O M Y H A G C B
O U U B T A F B O X E R L L L
O S T N X N L L E R C R E A M
P T C N B U T T E R H F G D G
S I K O N M A C F P I T A J V
G R Z C N M I H F T T C B U Y
U G R A P E J H O P W H E A T
L O J B I S S K C G A F F S C
```

PUZZLE #62

KNIFE ACT

AGENT
ARMY
BLADE
BOWIE
BUSH
CAT
COUP
CUT

DAGGER
DIRK
DRAGON
DUEL
DUTCH
EPEE
FISH
FOLD

HAFT
HILT
KRIS
OPS
POCKET
SAFE
SCALPEL
SCOUT

SHARP
STAB
STEEL
SWISS
TABLE
THROW
USAF
UTILITY

```
S P D R A G O N C A T E Y L D
P E O H T G S G Z B L D T H S
O M E C D T E H C B O J I G H
M H D B K E R N A U L W L H O
S C A L P E L T T R S W I S S
W T L R G O T Y L M P O T E W
S U B G M N U E P E E R U N F
I D A I S Y U F D Z S H N A H
R D I T K D O A W U J T V Y Z
J T O R X F U S L I U T E E S
U G X D K H I L T O C P S E R
R S C L M R I S C R B U S H L
Y J A O K X N S H P D O T E P
P H A F T F U M N F J C O U J
I T X D R K D M K N B U P N F
```

PUZZLE #63

EUROPEAN SIGHTS

ABANO
ALPS
AVIZE
BARI
BATH
BERNE
BON
BREST

CADIZ
CALPE
CANNES
CAPRI
COBB
CRETE
FLORENCE
GENOA

KOLN
LEEDS
LISBON
LONDON
LYONS
MALMO
MALTA
MASSY

MOSCOW
NAPLES
NICE
OSLO
PARIS
RHIEMS
ROME
VENICE

```
I  B  U  A  F  D  N  S  N  R  X  E  W  N  E
W  B  A  T  H  T  E  F  O  L  T  M  L  R  C
K  O  O  V  P  L  B  X  B  Z  E  O  S  W  I
C  C  E  N  P  A  E  Y  S  C  K  R  S  R  N
W  A  C  A  S  F  R  H  I  E  M  S  P  L  S
L  O  N  D  O  N  F  N  L  T  M  A  L  M  O
W  T  E  N  G  L  E  D  S  C  C  Z  L  I  P
B  E  R  N  E  V  Y  P  O  W  C  I  H  T  W
L  Z  O  J  S  S  L  O  J  O  L  D  V  H  A
A  I  L  L  B  A  R  I  N  C  C  A  L  P  E
P  V  F  E  G  P  A  R  I  S  U  C  O  M  V
D  A  O  T  C  E  K  G  I  O  M  N  K  J  M
G  B  R  E  S  T  N  T  V  M  A  U  F  M  F
H  E  K  R  O  H  M  O  R  B  R  E  N  K  F
A  H  R  C  H  V  O  M  A  S  S  Y  W  T  Z
```

PUZZLE #64

NOVEMBER NOTABLES

AARON
ASNER
BIDEN
BILLY
BORIS
BURTON
BYRD
CARNEY

COOKE
DELON
DICK
DUFF
EVANS
GENE
GRACE
HAWN

HENDRIX
HEPBURN
HIRT
JODI
JOPLIN
KARL
KAYE
KLEIN

LEE
PAUL
RICKY
ROGERS
SEBERG
TED
TURNER
WALTER

J X B E U J K S F H L H L T N
O O T Y C V N F X M R U D R G
J W P J R O U S M H A W N I X
E H E L R D K R E P K Y X H N
B V C A I V E Y R B F E M O R
S L A H E N D R I X E N T R X
Y S R N R R W A L T E R L E E
L A G U S U M T S V U A G N D
L X T I W B K S E B R C P I S
I O J H O P F R R S D I D E N
B O R I S E D E L O N T C L K
D I S E K H N G I Z C O O K E
Z A D N U S D O D I C K Z R Y
K A Y E A A D R O L D Z R G R
E L M G N B F I J E F T H N F

PUZZLE #65

LIGHT MY FIRE

BURN
BUTT
CIGAR
COAL
COKE
DIESEL
ENGINE
ETHER

FIGHTER
FIRE
FLAME
FLARE
GAS
HELIUM
KELP
KEROSENE

METHANE
OIL
PAPER
PITCH
POLE
PUMP
RAGS
SOLAR

STEAM
STICK
STRAW
TORCH
WATER
WAX
WICK
WOOD

```
R W I C K E P L G E E H S P W
A W O C V N M I L F N C O K E
L V I O P E U O B M I T O Y K
O T F C D S P V U C G I L A J
S T E A M O E I J F N P M P L
F O A B M R L E D I E S E L Z
F I G H T E R A C V T T A X R
P O R B H K T W N I C O H E K
L A K E L P C H H V G S T E I
F F P E H A W M A F L A M E R
Y A I E C A G R T N W X R S W
P F L A R E Z T Z E E B G G X
N F J T O H U Y X X U L A A K
S J S L T B U R N C V Y W R S
C P G I I I I F E M Z T X S H
```

PUZZLE #66

LET'S BE FAIR

AWARD
BAKE SALE
BALLOON
BEST
BOOTH
BOTTLE
BOW
BULL

BUY
CART
CHEER
CHILDREN
CLEAN
COW
CROWD
DATE

ENTER
GAMES
GOAT
GROOM
HAIR
JUDGE
KEEP
LAMB

PETTING ZOO
PIE
PIG
PLAY
POINT
RIBBON
RULES
SOW

```
S G B U Y T O C H N T W X R X
D I O O R E O C R O N M H H P
C P L A Y D Z F B O T T L E B
H H C S T Y G S B L W S W S I
D W I P J G N B L L B D O A D
I D H L J L I U T A C M C W N
Y R H N D R T L J B X H O A M
V A G B T R T I U R U L E S E
H W M B A K E S A L E L G E C
H A I R H M P N P E C E D R R
L M N T U S S E U F H T U M H
L O O Z T E E N T E R S J W T
P O I N T K M S I T X E O F S
B R W Y R V A P O A K B U L L
E G L G H X G T O D H R U M K
```

PUZZLE #67

THE BIG WAR

ALLY
ANZIO
ARNHEM
ATTACK
BLITZ
BOND
BULGE
D-DAY

DOG TAG
ENGLAND
EUROPE
FLAK
FRANCE
GERMANY
IKE
JAPAN

JEEP
LEAVE
NURSE
OMAHA
PINUP
PLANE
RAF
SHELL

SQUAD
SUB
TOKYO
UNIT
USA
USSR
WAR
WING

```
D U W J T J D U B K M G W K Z
G F Z I P E D G C F E U S A O
E E N Z N T K A A R H K D I R
X U R X D G T R M G N T Z Y E
T M B M N T L S J R R N R B L
D O G T A G S S F R A N C E A
T Y K E L N L U E M T G Y H A
P Z T P G W Y V R F P L A N E
M I E O N J A P A N L M D S E
R U N R E E P V G E O A D U A
S W B U L G E E H J T O K Y O
V U B E P N P S Q U A D L U Z
P O B O N D E R K O B L I T Z
X P V J I K E U X Y A H F X R
B C D V S J J N T D V J E Y A
```

PUZZLE #68

CHA-CHA-CHA

CHAIR CHARITY CHAW CHILE
CHAMBER CHARM CHEAP CHILL
CHANCE CHART CHEAT CHIME
CHANGE CHASE CHEEK CHIMP
CHANNEL CHASM CHEST CHIN
CHAP CHASTE CHEW CHINA
CHAR CHAT CHICK CHINK
CHARGE CHATTER CHILD CHIVE

```
P A R C P E Y E E K C E T K H
C F E X H T C W G S C H R K I
C T B F I L H H R N C H A R M
O H M R M F C H A S T E H S P
C H A T T E R H H N S Y C W E
G H H N I M C E C O G T U A K
C L C P N A S M M K A E Z H Y
Y L F K N E K I D E P X Y C M
M I H I K G L H H D M E A S Z
T H H F J F T C H A I R A H Z
E C H I C K S F H S H H I S O
L I H P B U E W L I C H I N K
I K A I L E H E Y K L H B G Z
H H I G V P C H E A P D A P C
C H E E K E N C H A T M E R B
```

PUZZLE #69

ROAD SHOW

AVENUE	LANE	PLAN	TIRE
BOULEVARD	LOOK	RUN	TOUR
CAMP	MAP	SPARE	TOW
CAR	MOTEL	SQUARE	TRAFFIC
EAST	NORTH	STALL	TRIP
GAS	PACK	STOP	WALK
HIKE	PARK	STREET	YIELD
HILL	PLACE	TERRACE	ZONE

```
P N F G R P R U N E G V H W T
C A M P A G H O U H E T T O B
B L C M C S Y N S T R E E T H
M P T K D V E B V O A T N H O
H D K R R V Y V N T U U O C O
T E R R A C E J V B Q B Z U U
G I D R V F K F B S S L V E R
T N R L E D F W P I P L C F F
D Y I E L D V I T B U A I C E
X F K T U K S S C E L T R N O
L I W O O W A L K P H S A E L
H L R M B E P O U H I L L T J
I W R K D O I A S N T Z O M Z
J R A U T N R M R D O W R O L
Y A I S V Y T B P K W I F J K
```

PUZZLE #70

IRS/IOU!

ADD
APRIL
AUDIT
BENEFIT
CHECK
CITY
DEDUCT
DEPENDENT

EARN
ERROR
EXCISE
FEDERAL
FILE
FUND
GAIN
IRS

ITEM
JOINT
LINE
LONG
LOSS
PAY
PENALTY
PER CENT

PROFIT
RECEIPT
SALE
SIGN
STATE
STOCK
TAX
TIP

```
P T X Y Y X A T L P R A T Y I
I N O M A Y A P R I L T A U D
T E U T P D L I R X C O K L T
D D F F N A D E C U Z E S Y U
P N B Z R N B C D C I N T S A
K E N E A B B E N E F I T E M
P P D C U B D R X T C L R H H
P E R C E N T T T C F L O S Z
F D N X P J O I N T I P R F P
C L X A F R D F K M F S R J W
C C O D L U B O T K C H E C K
F Z W N A T N R T C P T N O D
H I I U G R Y P R O A G S W D
H A L F A G B W S T I E Z W L
G J G E A Y V M S S A L E H W
```

PUZZLE #71

I'M A LITTLE TEAPOT

AMBER
BAG
BISCUIT
BLACK
BLEND
BOIL
BREW
CAKE

COLD
DRINK
HERBAL
HIGH TEA
HOT
ICED
JAM
JASMINE

LEAF
LEMON
LONDON
PARTY
PEKOE
POT
SAMOVAR
SAUCER

SCONE
SIP
STEEP
STIR
SUGAR
TEA
TWO
URN

```
T L V L U G R K L U R N P O R
F E I M A A S A U C E R I W N
V O A B V D B C B E G W S T H
B J D O T R V L O N D O N P D
J R M S E U R K T N D R I N K
N A E H U E E Z I J E B E O O
S E S W G P M L U D H L A M H
H T H M Z E G P C L B C B E R
W H T Z I W E X S U G A R L I
V G Z C V N R D I T O R H O T
M I Y J X E E E B D E X I O S
L H T X B W Z C O L D E P H B
L E R M F X W I A A L D P T W
B L A C K A O G W K C I N Y A
W X P F I A O Y Z T E Y L R H
```

PUZZLE #72

NAMES IN LIGHTS

ANDY
ANNE
BETTE
BILL
BOB
BRENDA
BRET
CAB

CYD
DOC
DONALD
DOT
GILBERT
GUY
HAL
JULIA

LADD
LARRY
LEO
LESTER
LEWIS
LEX
MAE
MARY

MEL
REX
RICHARD
ROY
TAB
TIMOTHY
TOM
VAN

```
J D E V R E X K S M F D R T B
H R T B A N U I Z F L L Z O C
T A B M R Z W J U L I A B D Y
X H L X L E S T E R K N R Y C
T C G A L J N A N D Y O M R X
G I L B E R T D N V U D D E Y
E R M E J M I Y A N G E L G L
J L J O O Y V R B P E T D O T
R D D T T D L A D D T X E X
U F O B Y H C M N D D E R X C
E E D C R G Y F O E V B I L L
A E A Y G U F V L P K X O C T
W G O M V A P C N Y P C O M H
W M S I B K A W T P X G W T E
J N Y Z V K L J X K A K N E F
```

PUZZLE #73

DR-ASTIC PARK

DRAG	DRAY	DRIBBLE	DROP
DRAKE	DREAD	DRILL	DROSS
DRAM	DREAM	DRIVE	DROWN
DRANK	DREDGE	DRIVEN	DRUDGE
DRAPE	DREGS	DRIVER	DRUG
DRASTIC	DRENCH	DRIZZLE	DRUM
DRAW	DRESS	DROLL	DRUNK
DRAWL	DREW	DRONE	DRYER

```
C E C S I S E S A V C E Y P E
I V U A S N G A M K G S O P R
T I C E E G D T V D J R A J M
S R R V A J U K E O D R A M U
A D I R K C R R L D R O W N
R R G T A U D R I V E R E J T
D R I Z Z L E R H V S G U W I
L R P M R I K K E G N U W N S
L F I E J S A F E N D R A Y K
O V Y B Z P R R N B C D R U M
R R T I B L D R O S S H D I K
D R E A M L V R G U D R A W L
X S U Y B I E A A E L K E Z T
N Y L K B R R T A N B L R Z V
H X N V J D R O N E K G D A E
```

PUZZLE #74

BAD TO THE BONE

AMULET   EERIE   HAG   PLOT
BALL   FETISH   HAUNT   ROD
CALL   FIEND   HELL   RUNE
CLUE   FIND   IMP   SIN
CRIME   GRILL   JAIL   SPECTER
CURSE   GUILT   KILLER   SUSPECT
DEMON   GUN   LAW   TRACE
DEVIL   HADES   LOCK   WITCH

```
A I H D R D T E H E T L E R W
A M I O E B F S A J L P L C O
Y E U R T A I T P I H E L L C
A V P L C T C U R S E I A O L
S U S P E C T G E A A P B I T
B W F F P T H Z L J C I V G V
L G I V S N N K L Y D E M O N
Z A B T Y U U L I Z D L Z R E
E H W T C A K G K L P L V U E
B R F L E H A D E S O A L S P
D C R I M E B D S D I C Y T B
J U R U E R U N E I M P K Y F
O E W G R N U I P P N X T C D
E U E F A G D F O J L V F A H
U N G R W V V C K W B N U U I
```

PUZZLE #75

YES, SIR!

BARRY
BYRD
CLARK
CUSTER
DAVIS
DAYAN
DE GAULLE
FARRAGUT

FOCH
HAIG
HALSEY
HOWE
HULL
IKE
JONES
KING

LEE
MONTY
NAPOLEON
OMAR
PATTON
PERRY
PETAIN
POWELL

RABIN
RENO
SMITH
SPAATZ
VILLA
WAYNE
WOLFE
ZAPATA

```
E E J N Z Y G L L H O W E N R
C L H Z E J N L L M Y K O O T
Y L X S R J I U E M I T T N B
F U L D T S K H W E T L C E D
N A P O L E O N O A O M A R G
H G R L W N Z A P A T A Y E I
K E N R M O N T Y E Z B G D A
E D A F A J L Y L E T F O C H
I D Y L J G G F N T A A L T A
C L A R K B U Y E A A L I X V
Y F D V V K A T T E P M M N B
R G W D I W L R C U S T E R R
R A B I N S L I R E J F D H E
E P H H H C I F U Y N G Z M I
P O G X V T V W P R I Z K K J
```

PUZZLE #76

DINNER IS SERVED

BISTRO
BUFFET
CAFE
CARROT
CHARD
CHECK
CHEF
CLAM

COFFEE
CORN
COVER
DESSERT
DINE
DISH
EAT
ENTREE

FAMILY
FOOD
FRUIT
GLASS
MENU
PASTA
PIZZA
PORTER

SOUP
STEAK
STRAW
SUSHI
TACO
TEA
TIP
WAITER

```
K D A J T P G E K O H B R D Y
C N G N R I T F M P U X K J K
E J R K E T E A A C O F F E E
H O Z G S Z L C C R Y R L E H
C H E F S C N D T O L G T F W
B U F F E T W S P C I C A E X
U U T W D N I F U W M Y I P R
N A N C A B T S O C A R R O T
E M X K H T S R S O F I W G F
M P I Z Z A K D E F D A T N X
G J H F L A R S S E R R U E A
P M S G E E Z D O T E U H U R
Z C U T V N S J S B V Z I T M
P A S T A I Z H P L O V A T O
N G W D T D I S H Y C X D K J
```

PUZZLE #77

HE'S & SHE'S

HALE	HAROLD	HELEN	HOLLY
HALENA	HARPO	HENIE	HOLM
HALEY	HAVER	HENRY	HOLMES
HALL	HAVOC	HILLARY	HOPE
HALLMARK	HAWKINS	HINES	HORNE
HALSTON	HAWN	HIRSCH	HUGH
HANK	HAYES	HIRT	HUNT
HANKS	HEFNER	HOAGY	HURT

```
J A E C K W Y G L A T G C T D
Z J N G R G Z Z L N R F R L F
W K R X A H W L Y E U I O C B
H N O O M H A N K L H R L J J
B E H F L H Y L R A A Y G M W
H L U H L R C Z E H O L M E S
Y E S H A W K I N S I H U G H
L H N L H L O M F I B R O K S
L B L I I Z S J E E V J S L G
O I I W E F G T H A L E Y C M
H A Y E S P F C O A W Y W R H
H A V E R E E O B N R L I K Y
I U N M O Z P V W N R P E S U
S V N K Z Z O A E W L O O M E
K H R T S U H H I N E S J J J
```

PUZZLE #78

TWINKLE TWINKLE

ALICIA
ANDIE
BACALL
BERRA
BETTE
BILL
BLAIR
CAMERON

CAPRA
CHER
CLOONEY
COMO
CRUISE
DARIN
FONDA
FRAN

GARY
GENE
GRETA
HUGH
IRONS
JOEL
JULIA
LEX

LOREN
NOAH
PAYNE
RODDY
SANDRA
SARANDON
STONE
STREEP

```
J N H X S S Y L Y I A A X S Y
S O G A R Y E L S T R E E P B
K D U F S L N I E P D O W E R
L N H R L K O B A X N R N D I
M A F A D Z O C A H A I G S A
C R C O R W L I C P S P F I L
E A T C G P C R U I S E L L B
B S M U P I A X Y H G U A P E
H M Y E L B L Y G M J R L U I
Z S D A R G C O N E R V E U D
D H D A J O E L B E T T E T N
C A O X I R N N B N F O N D A
L O R E N E N G E O S R T V S
I A K I Z H T N R T N O A H U
A W O W N C O M O S F D X N H
```

PUZZLE #79

MALE ANIMAL

BARON
BEAU
BOSUN
BUCK
CHAP
COUNT
DAD
DUKE

EARL
FATHER
FOP
FRIAR
GRANPA
GUY
JACK
KING

LAD
LORD
MALE
MAN
MISTER
PAL
PAPA
PATER

POPPA
PRIEST
PRINCE
RABBI
SIR
SIRE
SON
SULTAN

```
M I Y F U N Y D A W M L I R D
K I N G O N U U P F P B W E U
C E S S A P G E N Z B A M T T
U F A T H E R F A A C C H A P
B H L S E B T P R I N C E P X
H U T E G R N R G I B L R K K
S F D I R B U N P B A S I R S
D A F R C P O P P A W R S C K
D N Z P S R C S A Z E Y U Y B
R U V N A W H P U M M A L E G
O R K B V J A C K N E C R B B
L W M E L P N U K B O P M L D
O Y L A D E V C J Z S M S R T
T T P E N C U Z N D U F P K V
X W Z Z H J Z P I M O T B X S
```

PUZZLE #80

VILLAGE HAVE A SEAT

ARENA
ARMCHAIR
BALCONY
BAR
BED
BENCH
BOX
BUNK

BUS
CART
CATBIRD
CHAIR
CHAISE
COUCH
DAIS
DEN

DESK
FLOOR
FRONT
HIGH CHAIR
KNEES
LAP
LOGE
LOUNGE

PLANE
PORCH
REAR
SEAT
SETTEE
SIT
SOFA
WAGON

S Y D N F C Y P D K T B P G N
U E S M N N H P L A N E A W E
B O X O O R I A F T O E L R D
C R Z C F I W E I I R E E I T
C I L W D A I S T S F T O S X
R A R M C H A I R S E T T E E
B H T O C C S E A T G E T X O
B C R B R A A D C B N B L W X
E H R W I W R C H L U M U Y S
A G G R X R I E C K O N K S R
W I C O N I D N N I L G S A K
S H P O R C H U E A Z M E A N
A D G L U G B M B K J R D S X
U A K F T C O U M L D L V H K
W K C F E M H D N D G V L L L

PUZZLE #81

SCATTERSHOT

ASK
BAND
CATCH
COST
DESK
EARN
FEEL
FOX

FRY
GAIN
GARBAGE
GIFT
KISS
LEAN
LEARN
LOVE

MILAN
MONEY
MOVE
PRICE
PRY
RACKET
RING
SAID

SKATE
TEAR
TOAD
TOT
TURN
WATCH
WENT
YEAR

```
Y E A Z M O N E Y T T O D V T
R G M G C R C T Y W O N N V P
P A Z L H I C A L L E A R N A
V B P C R T W K L D G L D R W
C R T P L Z E S I T H I Y S Y
R A C K E T B A N D R M S R Y
W G T L B D S W R O G I F T P
A R C C E L Z X E K K C N R I
R R H V H A T U R N W N D G L
N F O T K D N A I L T F E E L
R L T S X H E A F B S V W X F
A S K O P Y G S R V O T E O B
E T F C T T X R K M F M J L Y
M N D B I R T J H B U Y A B Y
F T H E H Y V X T K K K N P R W
```

PUZZLE #82

WATER WORDS

BED	CRAFT	HOLE	PIPE
BEETLE	CRESS	LEVEL	PISTOL
BIRD	FALL	LILY	POLO
BUCK	FRONT	LINE	PROOF
CHESTNUT	GAP	MARK	SHED
CLOCK	GAS	METER	SKI
CLOSET	GATE	MILL	SUPPLY
COOLER	GLASS	MOLD	TOWER

```
B E D I T S L C F R N E S K F
C T L K U N V H O L D C C L X
A L O S N E E T X O Y O G L E
S S O K T P I S T O L F G A S
X S R S S H R U N C P E I F P
J A N B E E T L E S P O R R B
M L N E H T A F S A U L I L Y
U G H U C C O E R N S O X K V
M N N O J O R L L O L P O M N
I I O D R C E A R A N I R R O
V R L P W K W H F S L T N R D
L O K L F D O G O T E B E E I
M L C V R K T R A L V T H T H
W S U I K P R P I P E S T A T
L Z B B P O K H J M L C K G I
```

PUZZLE #83

THREE RING CIRCUS

ACROBAT	CIRCUS	KILTS	ROPE
ACT	CLOWN	LION	SHOW
ARENA	COSTUME	MUSIC	STUNT
BAND	CREW	NET	TICKET
BARK	CROWD	NOISE	TIGER
CAGE	ELEPHANT	PONY	TOP
CARS	FAN	RIDE	TRAPEZE
CHILDREN	HAWK	RISK	WIRE

```
A N C R O W D W T R Z C V M A
W E R E I Z I L N N I H A W K
X R C G E S T W A G M D J R J
F D I I T A K P H W I R E T S
G L S T B I N O P B D P O N Y
C I L O L A C T E C A G E U S
G H R X C K V L V P N F T A
S C W N T R A P E Z E S D S X
A L O J F A N O M T B U R O Y
R I H S S B T S L U A C K N S
L O S N T A R E N A S R N E I
J X P W T U J R W O K I L T S
G V E E I K M Y O Y I C C X U
V T N R F S W E L F S S B P K
V G W C K Z R D C U T T E C J
```

PUZZLE #84

THE B LIST

BACH BARRY BECK BIDEN
BACKUS BASCOMB BEDRICK BILL
BAEZ BASIE BELA BONO
BAILEY BASIL BELL BOOP
BAIO BEA BEN BRESLIN
BAIRD BEASLEY BERRA BROKAW
BALL BEATTY BERTHA BROOKS
BARKER BEBE BETTY BURT

```
Y Y A C C Y N S D T Y Z R N L
E R E U T I F K B T F E H L H
L R B T L Z V O M Y K A E R H
S A E S K L A O L R Y B O O P
A B E R R A W R A N P Z E D E
E R O T P O C B A C K U S B H
B A S C O M B H E O N H I C E
L E B S N R P J R A M O A R N
I G D E E M B Y L L T B U R T
S P D R R R X E G V D T E I V
A I N U I T T L J R G E Y C B
B A S I E C H I I W O L L P K
T K B B R O K A W R I L M N G
L L I N P E B B E L A I E P O
B Z H F G S N U Z B B B B O N O
```

PUZZLE #85

MY FAIR LADY

ATTEND
BAND
BOOTH
CAKE
DAIS
DRINK
EAT
EXHIBIT

FOOD
GATHER
GREET
MIDWAY
PIE
PLACE
PLATFORM
PLAY

RIDE
SELL
SHED
SHOW
SING
SIZE
STAGE
STAND

STOCK
TABLE
THRONG
TRAIN
TRAVEL
TROPHY
VIEW
WORK

```
T Y J K M L U E Y Y D G D Z M
M U K R R D H V R C N S E L L
V I O O O J U E P O G I D A X
V Z D W F G H Z R V P R N V T
T A L W T T E H P L A C E M B
S U T A A A T R A V E L T E Y
R C H G L Y I R G R B E T J T
W U A G P J B E O A N D A C G
O T N K S W I D T P P V N L D
H I S H E D H I A M H L I N K
S P B I G E X R K I C Y A Z N
F I V O F G E C E W S B R Y I
E S Z U O A O M Y I Y B T R R
W I T E S T A N D H B F O O D
U Y I J S S H M S P E P B S D
```

PUZZLE #86

ON TRACK

BRED   MOUNT   RACE   TAIL
BREED   NAG   REIN   TAME
COLT   OATS   RIDE   TRAIN
EQUERRY   PACE   SHOD   TROT
FILLY   PAD   SHOE   VET
FLY   PINTO   STABLE   WALK
IRON   PONY   STALLION   WELSH
LEG   POST   TACK   WHIP

```
A K C K N B Y N A G E F I D G
R L C Y O B R M D X S H V E T
D A F L I T R A I N W E L S H
T W C F L T E E Y B M Y J E G
W H F E L Z U V E A G L X A N
Z H X S A T Q I T D Z L E U J
D M Y V T N E W J X P I N T O
I A W N S A S A H W L F R J S
X V U D M T B H R I D E H O B
U O F P A C E L A T P R V T N
M Y O O R D I T E K R D L A M
Y I K K R E T H M R X O F A P
N Z D A O R I P V G C H T K R
O A N H C B H N F C M S K T F
P O S T F B L L S X V J A T L
```

PUZZLE #87

OH, KAY

KAFKA	KELLY	KILROY	KLINE
KAPP	KELSY	KILTER	KNACK
KATE	KEMP	KING	KNICKS
KAY	KENNY	KINSEY	KOCH
KAYE	KENT	KIRK	KOOP
KAZAN	KEVIN	KISMET	KORDA
KEACH	KILEY	KIT	KRIS
KEATON	KILMER	KITTY	KURT

```
J L X U F Y T O K Z J N X O M
T S V A E T E G X I H I K U G
Z K I S L S M H W C L V L P T
K C N G O S S E A R K E N N Y
K I L M E R I E S E G K Y R F
K N L V W Y K I L R O Y L L F
Y K Y T N G A E Z A A T V I E
L O H A E R D B A K X R R T F
L Y Z N S R R R F T T U A G Z
E A U M Y V O A W D O K R I S
K E L S Y N K I T T Y N I J B
Y L R E P H J N G N P P I R P
L T I P F C B N A S Y M D O K
O I A N G O I U W C K E O S O
T K A Y E K A Y E S K K E N T
```

PUZZLE #88

GEE WHIZ

GAGGED   GEMSTONE   GOAT   GRILL
GAPING   GENERAL   GOOF   GST
GARAGE   GEORGE   GOP   GUEST
GARBAGE   GET   GOTTEN   GUNWALE
GASLIGHT   GHOST   GPO   GUSSIE
GATLING   GHQ   GRADE   GUTLESS
GAY   GIGGLE   GRATE   GUYLINE
GELATIN   GMC   GREAT   GYPSUM

```
T F S X T S E P C G Y H G M N
H O N A A J E O M A U C J I E
G O O X M L R G G H Q S T K G
I G R E A T N K N S K A S D R
L E F W A S L N G S L Y Z I O
S D N G U Y L I N E G R A T E
A U J T H O E P G L N L M G G
G E M S T O N E G T E E A Y N
L A E G E T A I N U D R R D E
N T R B P E U O I G A V E A U
E S G B L O F L L G R G M F L
T D Z G A B V L T B G H O S T
T P G V P G X I A A N H Z Y C
O I R F M K E R G Y P S U M C
G A P I N G N G U E S T S O G
```

PUZZLE #89

STRAIGHT A'S

ACETATE ANDREW APTER ASHEN
AGOG ANIMAL ARCADE ASKING
AILING ANIMOSITY ARENA ASPIED
ALEFISH ANNEX ARISE ATTEND
ALLYSON ANNOUNCE ARKWRIGHT AWESOME
ALPINE ANSWER ARMY AWL
ALSO ANYTIME ARTIST AXEL
AMAH APPLAUD ASA AYE

```
Y H X X R H A U E E E F C N D
T S E P H N E E M S Z P E U G
I I N V E D C R O I X H A O O
S F N R A N F E S R S L G H K
O E A C U X C W E A P A X E L
M L R O M N Y S W P U V R X C
I A N I M A L N A N Y T I M E
N N N B Y X E A I L I N G W Y
A R K W R I G H T R L J D X Z
G C C F A J X D F R F Y D W T
N O E Y S T K N J E X E S J U
I S C T A W L E E T I K V O B
K L R S A Y G T Y P C P E Y N
S A M A H T E T S A N D R E W
A L P I N E E A R T I S T X O
```

PUZZLE #90

ALWAYS ON SUNDAY

ANGEL
BAPTISM
BLESS
CALM
CHANT
CHASTE
CHERUB
CHOIR

CHURCH
EDEN
GATES
GRACE
GREAT
HELL
HYMN
JESUS

LAST
MARY
MASS
MINISTER
MORAL
PAUL
PRAY
PRIEST

RABBI
REST
SAINT
SERMON
SOUL
SPACE
SPIRIT
ZION

```
T T G L R H Y L D U B S N T I
J S L U E C R N E U S T G B K
I E P O T R A P R A Y N B S F
H R X S S U M E M G R A C E Z
B O P S I H H F X N R H Y M N
N F H R N C H A S T E C O E O
B A P T I S M C N S S P D L I
R S Y P M E G D T G S E W H Z
I G S G G E S B I J E S U S L
W R S L C A B T R X L L X U K
G R E A T R T O I Z B C A L M
U P P R I P P E P A K P G S W
A S K O I N R F S E R M O N T
Y S H M R D T Y F Y I U R G L
T C Y Z W W Y X A J V B F R I
```

PUZZLE #91

-F- STOPS

FABIAN	FAYE	FIELD	FRACK
FABIO	FEDERICO	FISHER	FRANCIS
FALK	FELIX	FLETCH	FRANK
FARLEY	FELL	FLYNN	FRANZ
FARR	FENTON	FONZ	FRICK
FARRAH	FESS	FORD	FRITZ
FAWN	FESTUS	FOSSE	FROST
FAY	FIDO	FOX	FUNT

```
O  X  D  Z  X  T  Y  K  Z  Z  P  H  E  J  U
C  O  L  W  R  D  E  S  N  U  A  S  Y  Y  Y
I  F  E  A  R  S  L  T  A  R  S  F  A  L  K
R  J  I  O  U  F  R  S  R  O  X  F  F  P  V
E  T  F  T  G  G  A  A  F  R  I  C  K  M  E
D  R  S  E  U  J  F  E  N  T  O  N  V  U  P
E  E  N  K  L  O  M  I  S  T  A  Z  N  E  N
F  R  A  N  C  I  S  F  S  M  E  N  A  W  V
K  A  D  L  N  B  X  O  K  H  Y  O  A  C  U
N  H  B  N  N  A  R  T  A  A  E  F  E  S  S
A  W  Y  I  L  F  L  E  T  C  H  R  I  Y  A
R  L  E  N  A  A  R  N  G  M  P  R  N  D  T
F  R  I  T  Z  N  I  A  F  D  C  R  O  N  O
D  O  I  Z  F  B  C  B  C  E  G  A  U  M  R
E  F  I  F  X  Z  O  J  U  K  D  F  E  L  L
```

PUZZLE #92

OF -V- I SING

VACATE	VAST	VIAND	VILLIAN
VACUUM	VAT	VIBRANT	VINE
VAIN	VEIL	VICIOUS	VINEGAR
VALID	VEIN	VICKY	VIOLENT
VALUED	VEND	VIEW	VISOR
VALVE	VET	VIKING	VIXEN
VANE	VEX	VILE	VORTEX
VASE	VIAL	VILLAGE	VULGAR

```
T N D V N L T S O L G J I F E
E A V E I N V U V A S E X L J
V I K E A E S O X I R E I P X
A L V R V S W I M V T V I N E
V L B W X U R C G R J D A V F
V I N E G A R I O V V N L S H
V V O A S R G V I L L A G E T
X M M L T G G U A U V I L Y Y
G U Z X E N P R P L A V S I W
R U E O I N K A N E U N F X D
O C P K I G T G G O E E H S Z
S A I Z W R L L U X S Z D E Y
I V A C A T E U I Z V P N H T
V A N E E P E V I C K Y E A R
A J D O P O I H G K N P V E X
```

PUZZLE #93

NO BLAHS HERE

BLADDER	BLAZE	BLIP	BLOW
BLADE	BLEAR	BLITZ	BLOWN
BLAH	BLEEP	BLOAT	BLUNT
BLAME	BLESS	BLOCK	BLUR
BLANCH	BLEST	BLOKE	BLURB
BLANK	BLICK	BLOOD	BLURT
BLASE	BLIMP	BLOOM	BLUSH
BLATENT	BLIND	BLOT	BLUSTER

```
T T I R H K D O X D T R F M P
N A O M C H O V T S O U J I G
E O Y I C Y O L E F L L L J K
T L L N X Z L L O S B B U N R
A B A G X I B L A Z E P A A G
L L M O E J T L M N P L E U J
B L U S T E R S U M B L U R B
E L L J M D U S I N B L E S S
K L A O O A L L O W T L I D N
O D O D Z L B L A M E W E T I
L L W I D B B L O W N O A E Z
B L O C K E L L U N D L X C P
S Z M V J H R I A S A B L A H
P P B T B T L C N S H O J T A
X R N Y O Z V R O D E F P A E
```

PUZZLE #94

-C-ING STARS

CABOT
CAGNEY
CANNELL
CAPRA
CARL
CARLY
CAROL
CAROLE

CARON
CARR
CARROLL
CARSON
CARY
CASH
CHASE
CHER

CHET
CHEVY
CHILD
CHRIS
CHUCK
CLARA
CLARK
CLAY

CLIFT
CLINT
CLOSE
COMO
COOPER
COSTAS
CROSBY
CURIE

```
L Z N Y J B R W O L T Y S H N
L R N C Y Y E M P O E I S H J
O E A R B T P C H N H A J A A
R H A S O E O X G K C A R O L
R C O M O S O A R B T U I O E
A R J A R O C A R S O N R S J
C A N N E L L A T A B R A I M
K O G S T C A P R A A H V H E
C C S N I Y H D N O C L A R A
U K I T B I N E P E L L U V U
H L C Y A R Z S V U C E I Y B
C H I L D S I C Y Y C F K F X
F T F R E R L C A R R K Z R T
M H R A H Y Y N L R M Y B M M
S J C C A R O N C U L L W B T
```

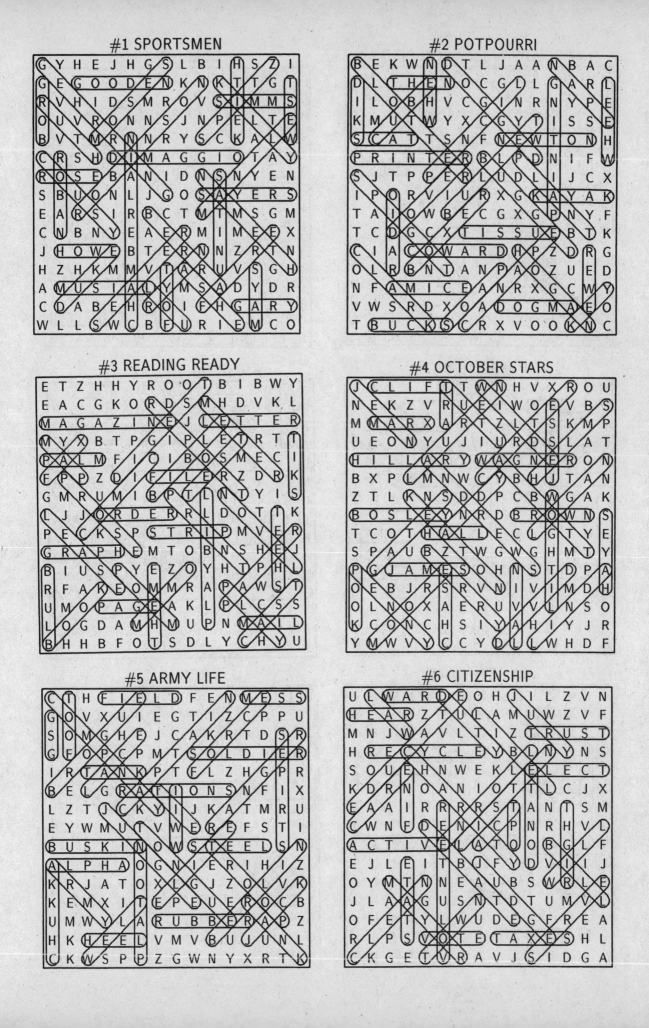

#1 SPORTSMEN

#2 POTPOURRI

#3 READING READY

#4 OCTOBER STARS

#5 ARMY LIFE

#6 CITIZENSHIP

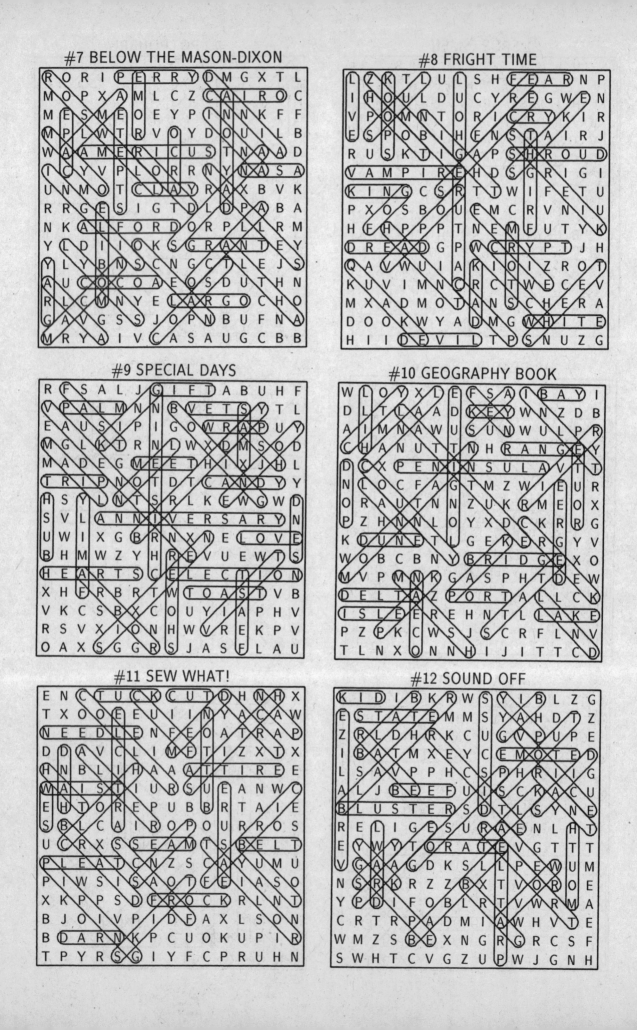

#7 BELOW THE MASON-DIXON

#8 FRIGHT TIME

#9 SPECIAL DAYS

#10 GEOGRAPHY BOOK

#11 SEW WHAT!

#12 SOUND OFF

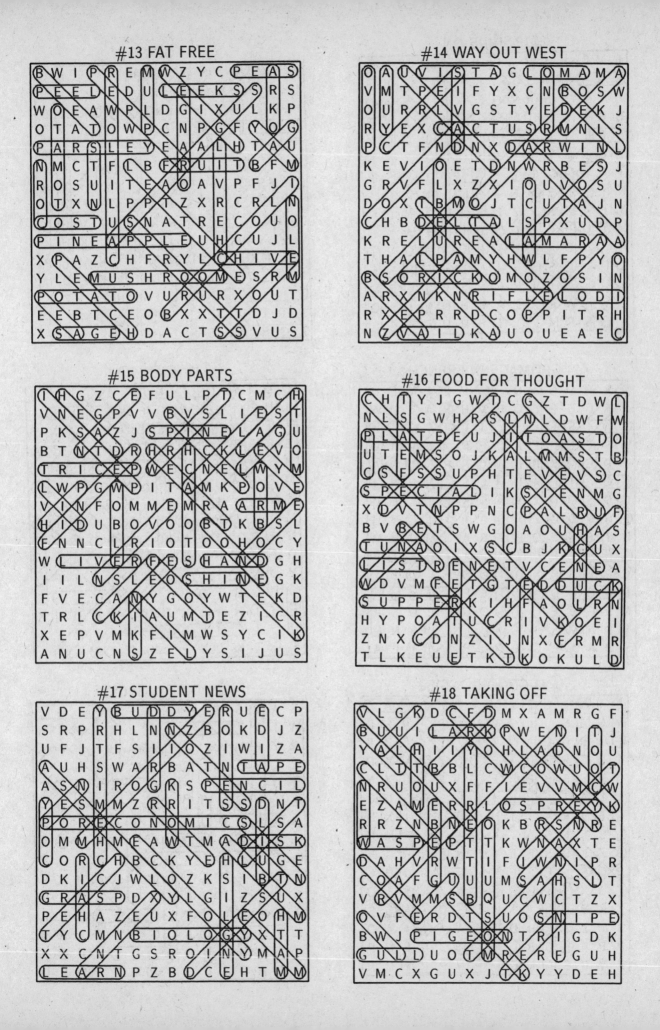

#13 FAT FREE

```
B W I P R E M W Z Y C P E A S
P E E L E D U L E E K S S R S
W O E A W P L D G I X U L K P
O T A T O W P C N P G F Y O G
P A R S L E Y E A A L H T A U
N M C T F L B F R U I T B F M
R O S U I T E A O A V P F J I
O T X N L P P T Z X R C R L N
C O S T U S N A T R E C O U O
P I N E A P P L E U H C U J L
X P A Z C H F R Y L C H I V E
Y L E M U S H R O O M E S R M
P O T A T O V U R U R X O U T
E E B T C E O B X X X T D J D
X S A G E H D A C T S S V U S
```

#14 WAY OUT WEST

```
O A U V I S T A G L O M A M A
V M T P E I F Y X C N B O S W
O U R R L V G S T Y E D E K J
R Y E X C A C T U S R M N L S
P C T F N D N X D A R W I N L
K E V I O E T D N W R B E S J
G R V F L X Z X I O U V O S U
D O X T B M O J T C U T A J N
C H B O E L T A L S P X U D P
K R E L U R E A L A M A R A N
T H A L P A M Y H W L F P Y O
B S O R I C K O M O Z O S I N
A R X N K N R I F L E L O D I
R X E P R R D C O P P I T R H
N Z V A I L K A U O U E A E C
```

#15 BODY PARTS

```
I H G Z C E F U L P T C M C H
V N E G P V V B V S L I E S T
P K S A Z J S P I N E L A G U
B T N T D R H R H C K L E V O
T R I C E P W E C N E L W Y M
L W P G W P I T A M K P O V E
V I N F O M M E M R A A R M E
H I D U B O V O O B T K B S L
F N N C L R I O T O O H O C Y
W L I V E R F E S H A N D G H
I I L N S L E O S H I N E G K
F V E C A N Y G O Y W T E K D
T R L C K I A U M T E Z I C R
X E P V M K F I M W S Y C I L
A N U C N S Z E L Y S I J U S
```

#16 FOOD FOR THOUGHT

```
C H T Y J G W T C G Z T D W L
N L S G W H R S L N L D W F M
P L A T E U J I T O A S T O B
U T E M S O J K A L M M S T B
C S F S S U P H T E V E V S C
S P E C I A L I K S I E N M G
X D V T N P P N C P A L R U F
B V B E T S W G O A O U H A S
T U N A O I X S C B J K C U X
L I S T R E N E T V C E N E A
W D V M F E T G T E D D U C K
S U P P E R K I H F A O L R N
H Y P O A T U C R I V K O E I
Z N X C D N Z I J N X F R M R
T L K E U E T K T K O K U L D
```

#17 STUDENT NEWS

```
V D E Y B U D D Y E R U E C P
S R P R H L N N Z B O K D J Z
U F J T F S I I O Z I W I Z A
A U H S W A R B A T N T A P E
A S N I R O G K S P E N C I L
Y E S M M Z R R I T S S D N T
P O R E C O N O M I C S L S A
O M M H M E A W T M A D I S K
C O R C H B C K Y E H L U G E
D K I C J W L O Z K S I B T N
G R A S P D X Y L G I Z S U X
P E H A Z E U X F O L E O H M
T Y C M N B I O L O G Y X T T
X X C N T G S R O I N Y M A P
L E A R N P Z B C D C E H T M M
```

#18 TAKING OFF

```
V L G K D C F D M X A M R G F
B U U I L A R K P W E N I T J
Y A L H I I Y O H L A D N O U
C L T T B B L C W C O W U O T
N R U O U X F F I E V V M C W
E Z A M E R R L O S P R E X K
R R Z N B N E O K B R S N R E
W A S P E P T T K W N A X T E
D A H V R W T I F I W N I P R
C O A F G U U U M S A H S L T
V R V M M S B Q U C W C T Z X
O V F E R D T S U O S N I P E
B W J P I G E O N T R I G D K
G U L L U O T M R E R F G U H
V M C X G U X J T K Y Y D E H
```

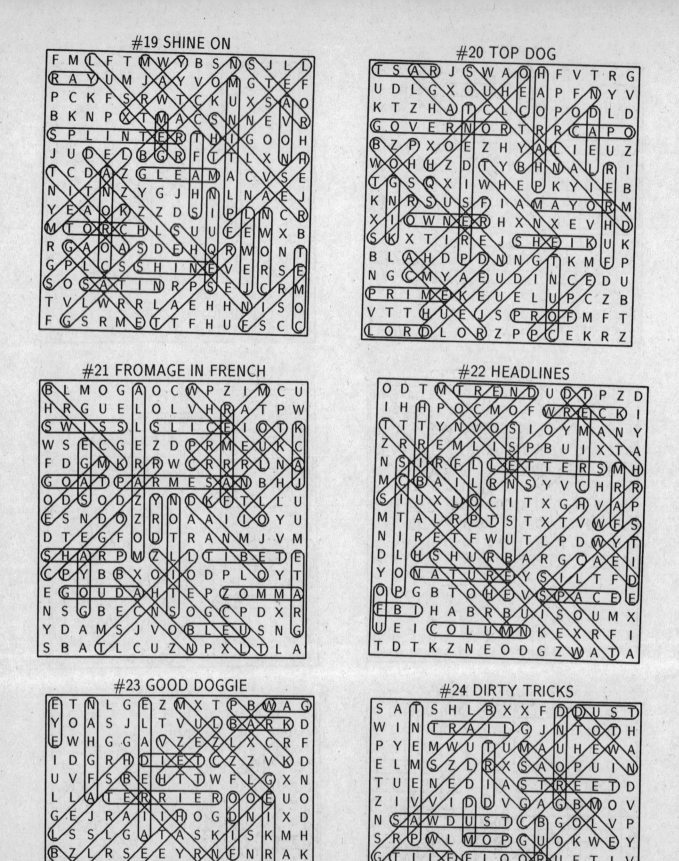

#19 SHINE ON

#20 TOP DOG

#21 FROMAGE IN FRENCH

#22 HEADLINES

#23 GOOD DOGGIE

#24 DIRTY TRICKS

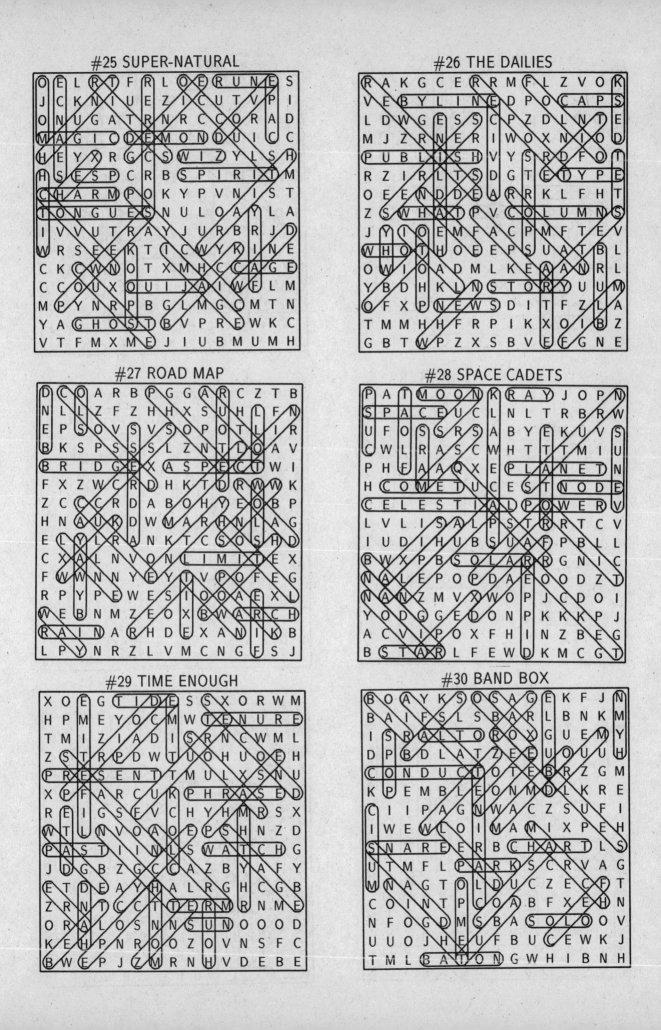

#25 SUPER-NATURAL

#26 THE DAILIES

#27 ROAD MAP

#28 SPACE CADETS

#29 TIME ENOUGH

#30 BAND BOX

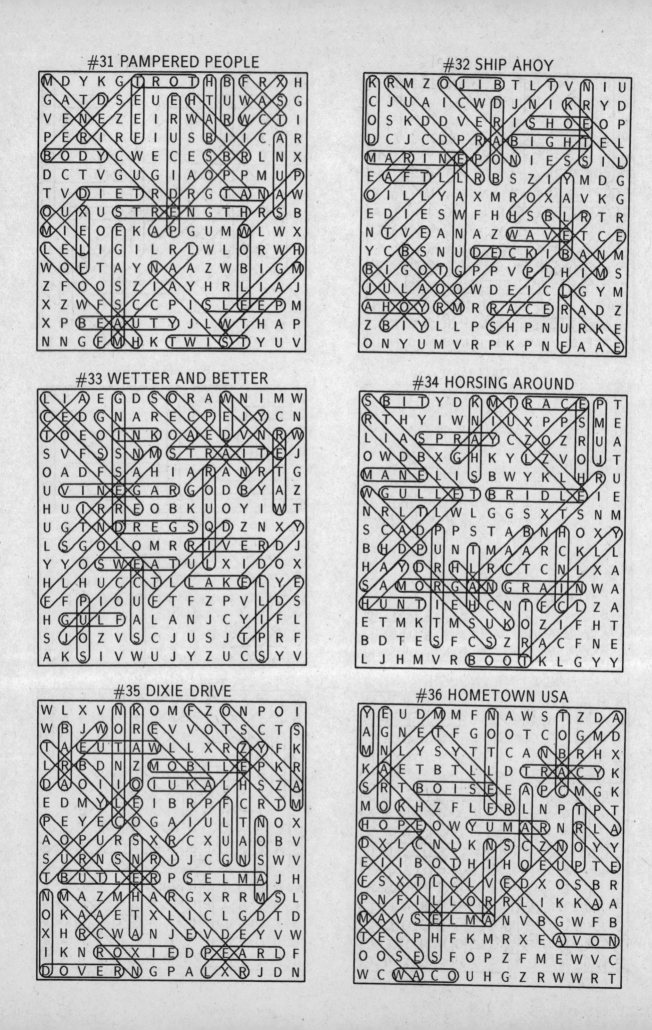

#31 PAMPERED PEOPLE

#32 SHIP AHOY

#33 WETTER AND BETTER

#34 HORSING AROUND

#35 DIXIE DRIVE

#36 HOMETOWN USA

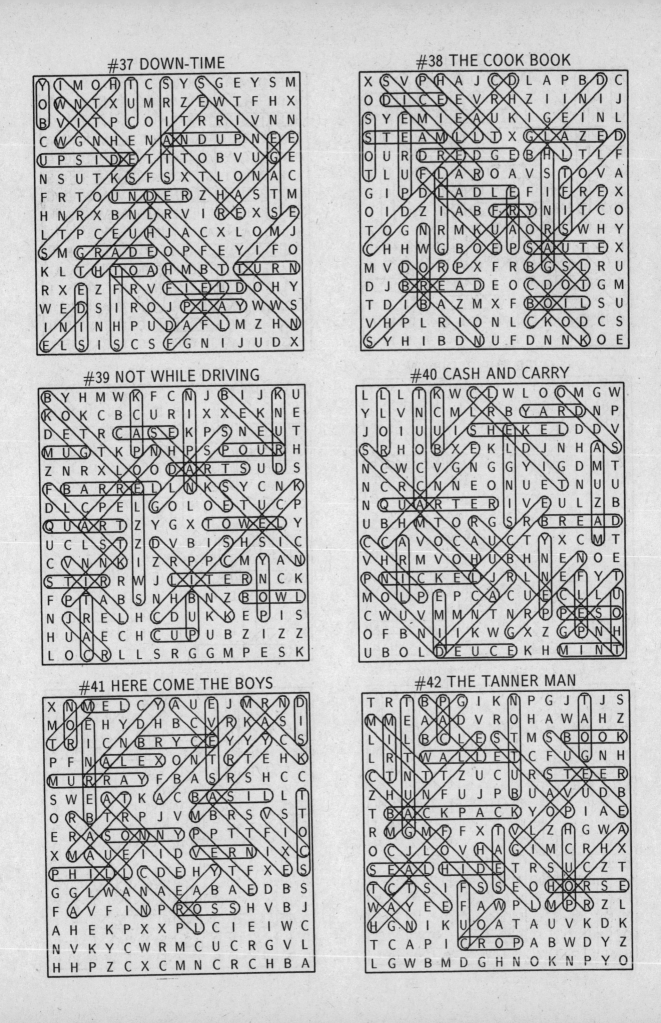

#37 DOWN-TIME

#38 THE COOK BOOK

#39 NOT WHILE DRIVING

#40 CASH AND CARRY

#41 HERE COME THE BOYS

#42 THE TANNER MAN

#43 STAR QUALITY

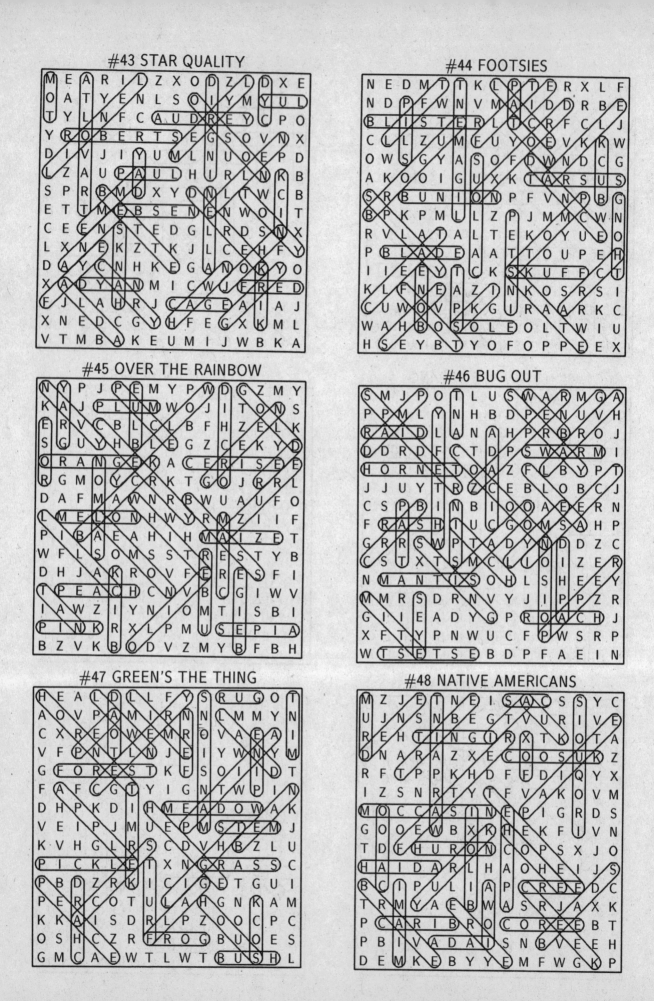

#44 FOOTSIES

#45 OVER THE RAINBOW

#46 BUG OUT

#47 GREEN'S THE THING

#48 NATIVE AMERICANS

#49 NINE TO FIVE

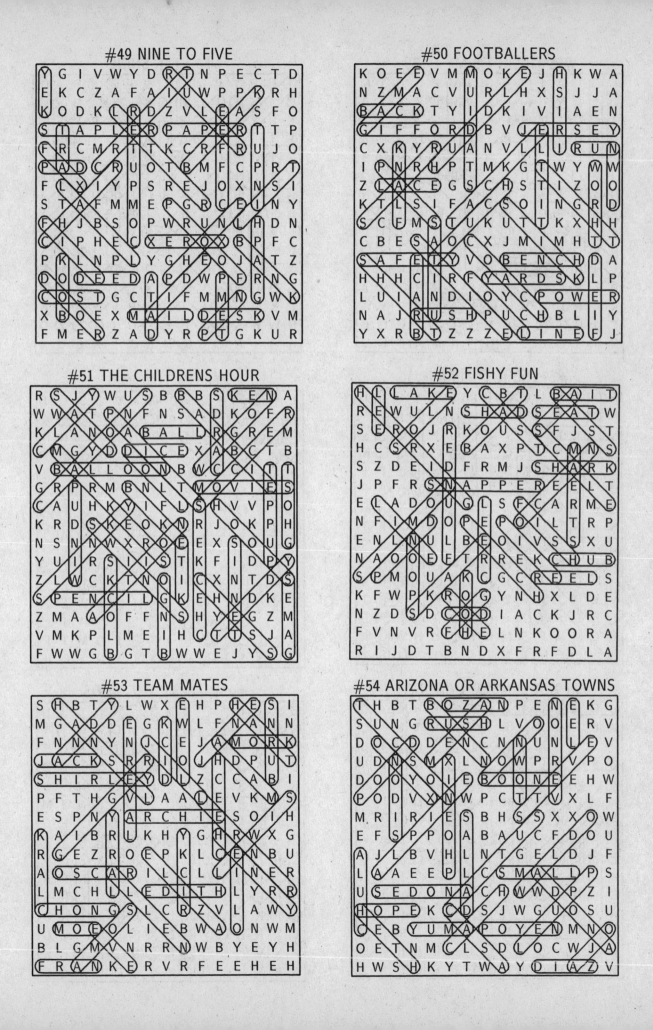

#50 FOOTBALLERS

#51 THE CHILDRENS HOUR

#52 FISHY FUN

#53 TEAM MATES

#54 ARIZONA OR ARKANSAS TOWNS

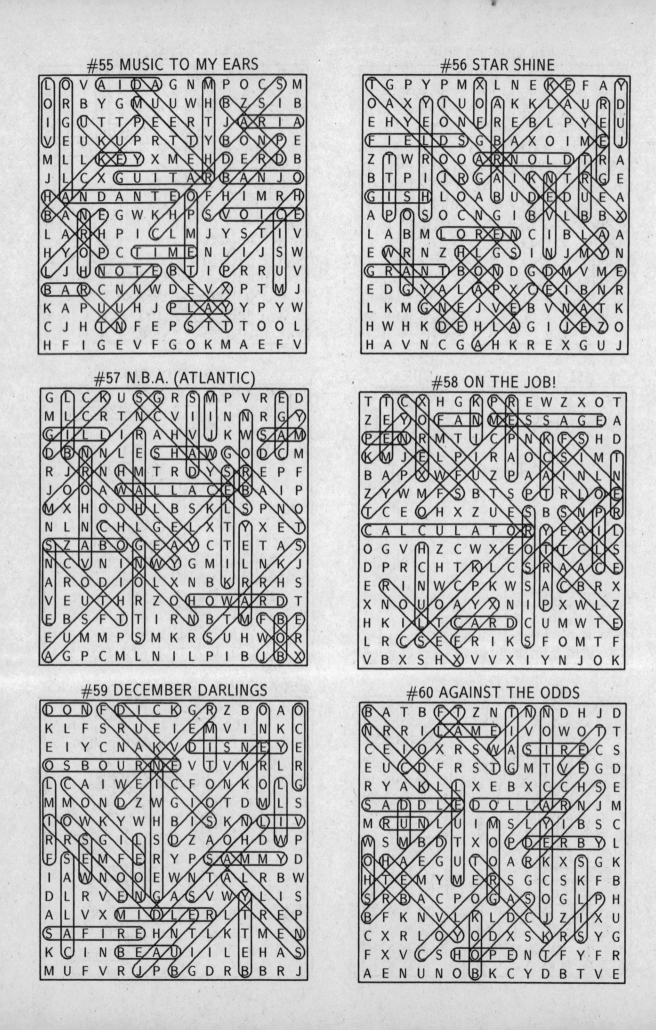

#55 MUSIC TO MY EARS

#56 STAR SHINE

#57 N.B.A. (ATLANTIC)

#58 ON THE JOB!

#59 DECEMBER DARLINGS

#60 AGAINST THE ODDS

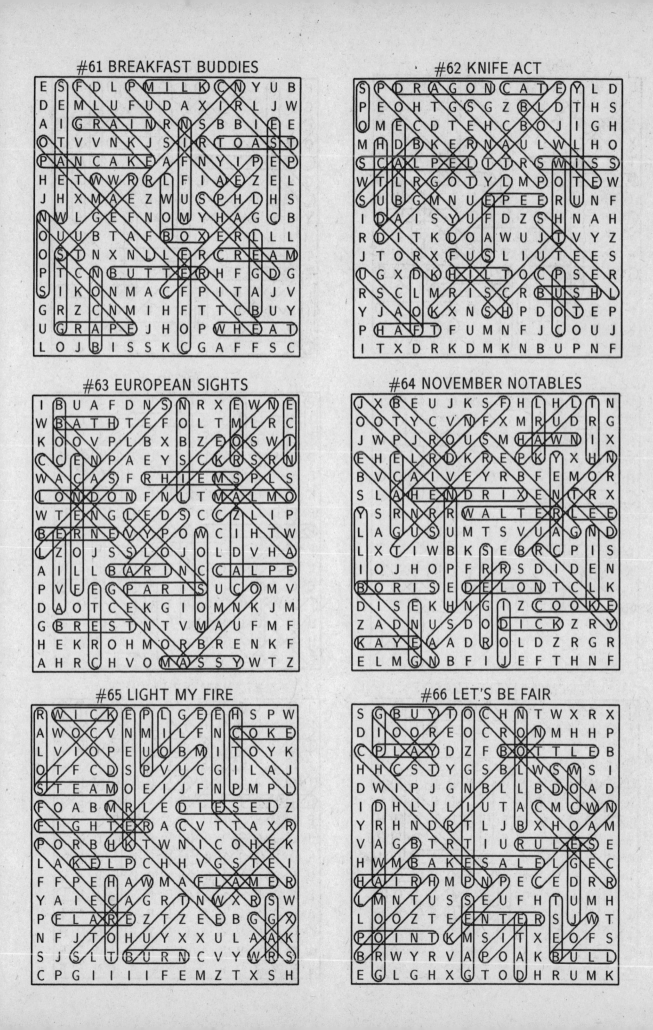

#61 BREAKFAST BUDDIES

#62 KNIFE ACT

#63 EUROPEAN SIGHTS

#64 NOVEMBER NOTABLES

#65 LIGHT MY FIRE

#66 LET'S BE FAIR

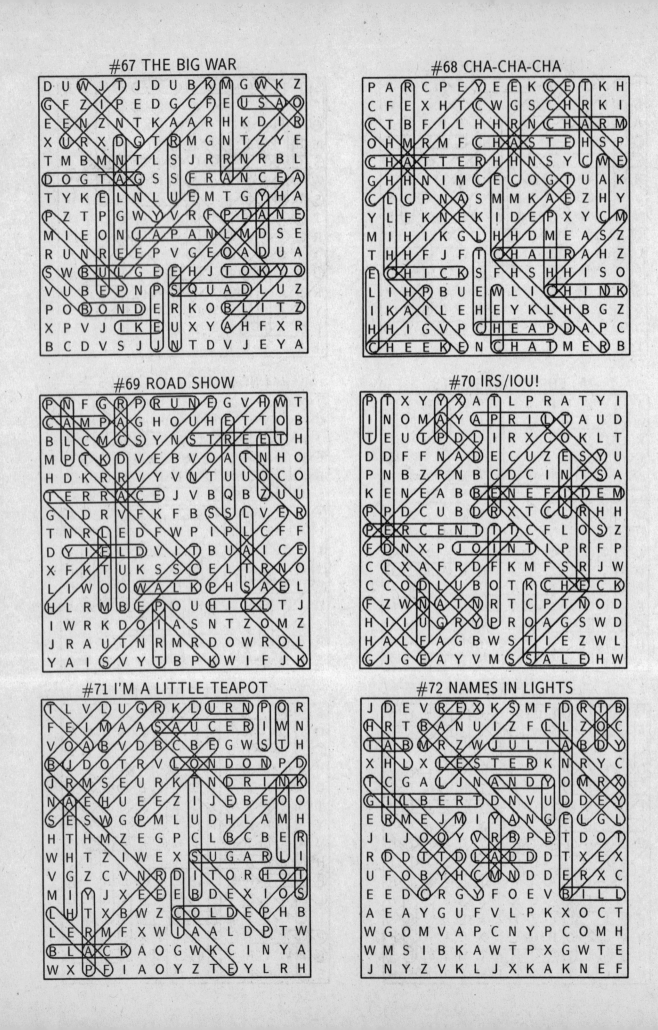

#67 THE BIG WAR

#68 CHA-CHA-CHA

#69 ROAD SHOW

#70 IRS/IOU!

#71 I'M A LITTLE TEAPOT

#72 NAMES IN LIGHTS

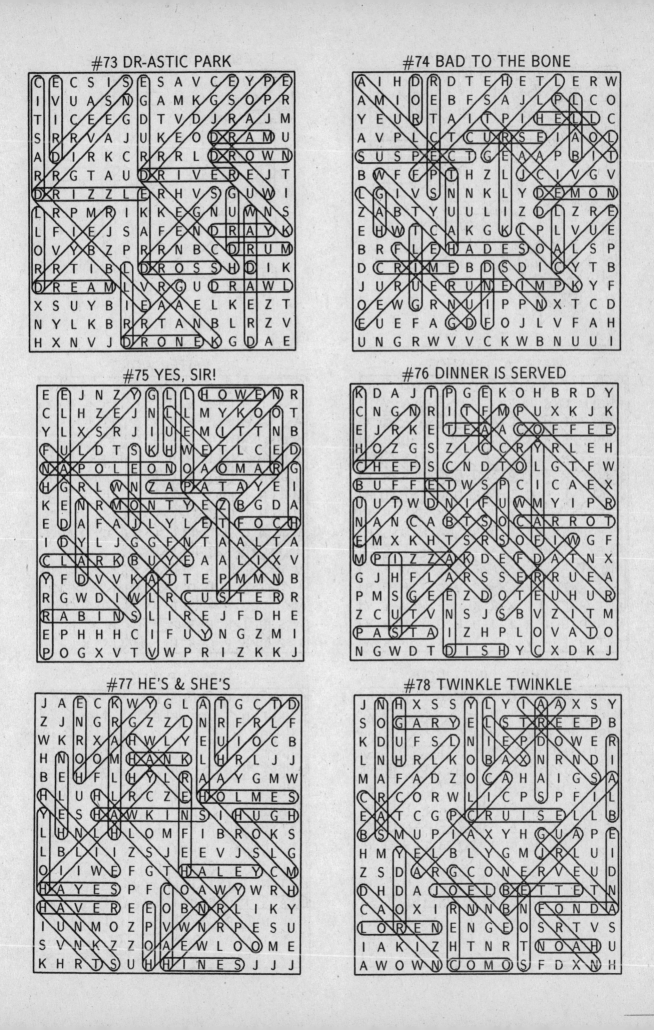

#73 DR-ASTIC PARK

#74 BAD TO THE BONE

#75 YES, SIR!

#76 DINNER IS SERVED

#77 HE'S & SHE'S

#78 TWINKLE TWINKLE

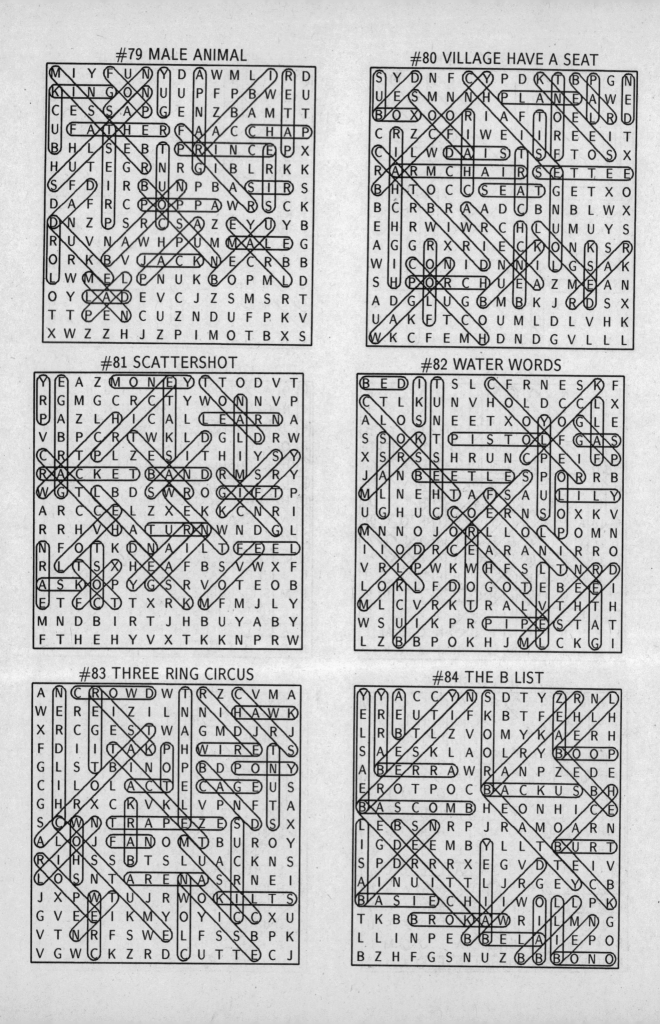

#79 MALE ANIMAL

#80 VILLAGE HAVE A SEAT

#81 SCATTERSHOT

#82 WATER WORDS

#83 THREE RING CIRCUS

#84 THE B LIST

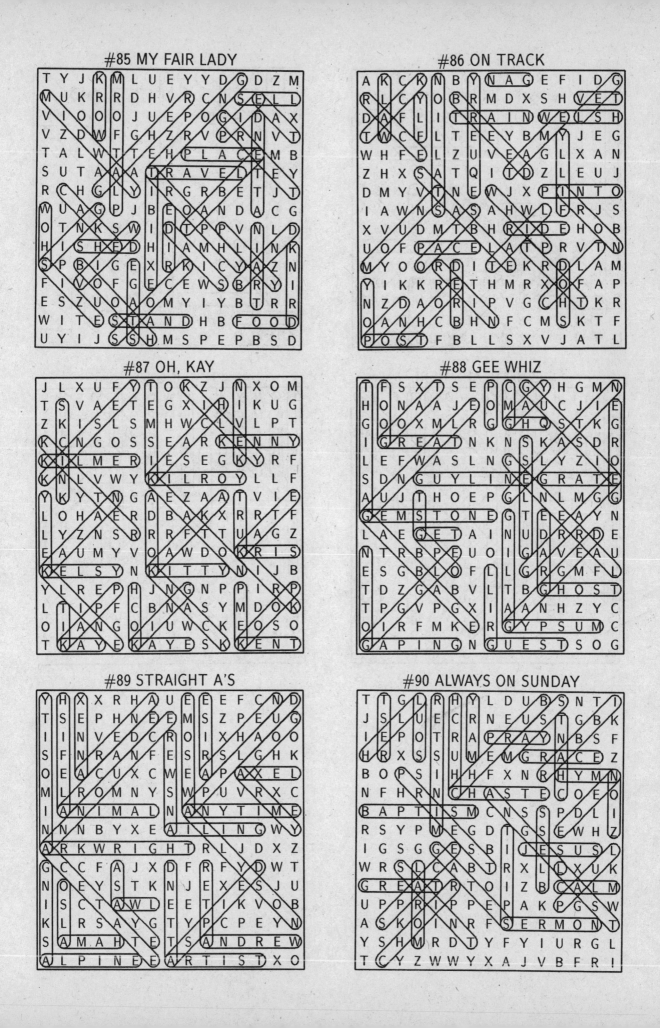

#85 MY FAIR LADY

#86 ON TRACK

#87 OH, KAY

#88 GEE WHIZ

#89 STRAIGHT A'S

#90 ALWAYS ON SUNDAY

#91 -F- STOPS

```
O X D Z X T Y K Z Z P H E J U
C O L W R D E S N U A S Y Y Y
I F E A R S L T A R S E A L K
R J I O U F R S R O X E F P V
E T F T G G A A F R I C K M E
D R S E U J F E N T O N V U P
E E N K L O M I S T A Z N E N
F R A N C I S F S M E N A W V
K A D L N B X O K H Y O A C U
N H B N N A R T A A E F E S S
A W Y I L F L E T C H R I Y A
R L E N A A R N G M P R N D T
F R I T Z N I A F D C R O N O
D O I Z F B C B C E G A U M R
E F I F X Z O J U K D F E L L
```

#92 OF -V- I SING

```
T N D V N L T S O L G J I F E
E A V E X I N V U V A S E X L J
A L V R U S W I M V T V I N E
V L B W X U R C G R J D A V F
V O I N E G A R I O V N L S H
V V O A S R G V I L L A G E T
X M M L T G G U A U V I L Y Y
G U Z X E N P R P L A V S I W
R U E O I N K A N E U N F X D
O C P K I G T G O E E H S Z
S A I Z W R L L U X S Z D E Y
I V A C A T E U I Z V P N H T
V A N E P E V I C K Y E A R
A J D O P O I H G K N P V E X
```

#93 NO BLAHS HERE

```
T T I R H K D O X D T R F M P
N A O M C H O V T S O U J I G
E O Y I C Y O L E F L L L J K
T L L N X Z L L O S B B U N R
A B A G X I B L A Z E P A A G
L L M O E J T L M N P L E U J
B L U S T E R S U M B L U R B
E L L J M D U S I N B L E S S
K L A O O A L L O W T L I D N
O O D Z L B L A M E W E T I
L L W I D B B L O W N O A E Z
B L O C K E L L U N D L X C P
S Z M V J H R I A S A B L A H
P P B T B T L C N S H O J T A
X R N Y O Z V R O D E F P A E
```

#94 -C-ING STARS

```
L Z N Y J B R W O L T Y S H N
L R N C Y Y E M P O E I S H J
O E A R B T P C H N H A J A A
R H A S O E O X G K C A R O L
R C O M O S O A R B T U I O E
A R J A R O C A R S O N R S J
C A N N E L L A T A B R A I M
K O G S T C A P R A A H V H E
C C S N I Y H D N O C L A R A
U K I T B I N E P E L L U V U
H L C Y A R Z S V U C E I Y B
C H I L D S I C Y Y C F K F X
F T F R E R L C A R R K Z R T
M H R A H Y Y N L R M Y B M M
S J C A R O N C U L L W B T
```